De Tepper-tweeling

maakt New York onveilig

# DE TEPPER TWEELING

## MAAKT NEW YORK ONVEILIG

# GEOFF RODKEY

Vertaald door H.C. Kaspersma

moon

Oorspronkelijke titel: Tapper Twins Tear Up New York
Oorspronkelijk uitgegeven door: Little, Brown Books
for Young Readers, 2015
© Geoff Rodkey, 2015
© Vertaling uit het Engels: H.C. Kaspersma, 2016
© Nederlandse uitgave: Moon, Amsterdam 2016
Omslagontwerp: Stan Van Steendam
Opmaak binnenwerk: Stan Van Steendam

ISBN 978 90 488 3101 2
NUR 283

www.uitgeverijmoon.nl
www.overamstel.com

## OVERAMSTEL

*uitgevers*

MIX
Papier van
verantwoorde herkomst
FSC® C014496

# EEN GESPROKEN GESCHIEDENIS VAN DE EERSTE JAARLIJKSE SPEURTOCHT VOOR HET GOEDE DOEL VAN DE CULVERTSCHOOL

## DIE PLAATSVOND IN NEW YORK CITY, NY OP ZATERDAG 25 OKTOBER (EN DIE ABSOLUUT GEEN RELLEN HEEFT VEROORZAAKT)

interviews afgenomen door
**CLAUDIA TEPPER**
met
Ries Tepper
Akash Gupta
Parvati Gupta
Carmen Gutierrez
Sophie Koh
Kalisha Hendricks
Jens Kuypers
Xander Billington
Wyatt Tempelman
James Mantolini
Dimitri Sharansky
Toby Zimmerman
Onderdirecteur Joanna Bevan
Eric S. Tepper, rechterhand
En iedereen die ik vergeten ben

Voor media-aanvragen: neem contact op met
Claudia Tepper (claudaroo@gmail.com)

Rechtszaken/dagvaardingen/enz.: Eric Tepper
(eric.steven.tepper@gmail.com)

# INHOUD

Voorwoord.............................................................................. 9

1 Ik krijg een fantastisch idee (met een beetje hulp
  van mijn broer)................................................................ 14

4 De Culvertschool in de ban van de speurtocht............21

5 We stellen een indrukwekkend team samen (na een
  lichtelijk uit de hand gelopen onenigheidje)...............34

6 De begeleiderssituatie....................................................44

7 De Mysterieuze Zwarte Auto.........................................53

8 Ries en pap missen bijna het hele gebeuren...............60

9 Het team van mijn broer is raar en goor......................69

10 De heel slechte (en daarna heel goede) start van
   mijn team.........................................................................76

11 Een cronut van de zwarte markt....................................84

12 Zombie-advocaten-Fembots............................................96

13 Mijn vader maakt een serieuze inschattingsfout.... 109

13½ Mijn vader wil dat je weet dat hij geen afgrijselijk
   persoon is ...................................................................... 117

14 Mam en ik krijgen vreselijke ruzie op de meubelafdeling van Bloomingdale's.......................................123

15  Het team van mijn broer komt zwaar in de puree.... 135

16  Sabotage op Times Square.................................................. 147

17  Mijn broer zit vast in een vrachtwagen die richting
    Holland Tunnel rijdt.............................................................. 160

18  Jens en ik bedenken een briljant plan dat een
    andere wending aan het spel geeft................................. 174

19  Het team van mijn broer zakt nog dieper de
    puree in ................................................................................. 186

20  Parvati wordt een tikkeltje te luidruchtig .................. 196

21  Nachtmerrie in Grove Street............................................ 211

22  Beestenploeg: De laatste vernedering.......................... 221

23  Pap krijgt een ernstige preek.......................................... 232

24  Fotofinale ............................................................................... 242

25  Schrik en verbijstering (en rechtszaken)................... 248

    Nawoord: Een heleboel waardevolle lessen ............... 263

# VOORWOORD

## CLAUDIA

Dit is de officiële geschiedenis van de Eerste Jaarlijkse Speurtocht voor het Goede Doel van de Culvertschool.

Ik schrijf dit op, omdat er HEEL wat verkeerde informatie de ronde doet over wat er gebeurd is. En dan vooral door dat stomme artikel in de *New York Star*.

NIET WAAR

SPEURENDE SCHOOLKINDEREN VEROORZAKEN RELLEN
Privéschoolkinderen en ouders in tumult tijdens geldinzameling

(soort van waar)

Wat bijna totaal niet waar is. NIEMAND die bij de tocht betrokken was heeft op geen ENKEL punt 'rellen veroorzaakt'.

Alleen misschien een paar minuutjes aan het einde. Maar dat kan ik uitleggen.

En ik geef toe dat wat er op het einde gebeurde, technisch gezien een 'tumult' was. Maar aangezien bijna niemand weet wat dat woord betekent, is het nogal belachelijk om dat in een krantenkop te zetten.

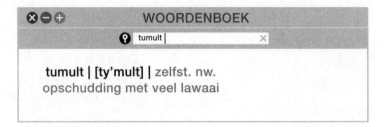

**tumult | [ty'mult] | zelfst. nw.**
opschudding met veel lawaai

Bovendien, sommige dingen die er met het team van mijn broer Ries zijn gebeurd waren sowieso niet goed. Of legaal.

-Maar in z'n geheel genomen was de speurtocht een ENORM SUCCES. We hebben $ 8.748,75 binnengehaald voor de Manhattan Voedselbank, wat HELEMAAL TE GEK is. Een HELEBOEL hongerige mensen hebben nu fatsoenlijke maaltijden kunnen eten, dankzij onze speurtocht.

Niet dat je dat te weten had kunnen komen door die stomme *New York Star* te lezen.

Wat, nogmaals, de reden is dat ik deze geschiedenis opschrijf, gebaseerd op interviews met iedereen die erbij betrokken was. Want voor mij, de persoon die niet alleen met het idee voor de tocht kwam, maar die hem ook nog eens georganiseerd heeft, is al die valse informatie nogal pijnlijk en frustrerend.

*behalve met mensen die niet met me willen praten*

Het feit dat er geen Tweede Jaarlijkse Speurtocht meer komt – omdat onderdirecteur Bevan ze voor eeuwig verbannen heeft – is ook erg frustrerend.

En als ik eerlijk ben, vind ik dat juf Bevan nogal

overdreven reageerde. Niemand heeft écht een
rechtszaak aangespannen. Dat waren alleen maar
loze dreigingen.

(tot nu toe)

**RIES**

Het enige wat ik te zeggen heb, is dat het niet
mijn schuld is dat er nare dingen met ons team
zijn gebeurd. Van de meeste wetten die we hebben
overtreden, wist ik niet eens dat ze bestonden.
Dus dat telt niet.

En dit zou sowieso allemaal niet gebeurd zijn als
pap zijn taak als onze teambegeleider beter had
uitgevoerd.

Ik wil pap heus niet aan de schandpaal nagelen of
zo. Maar dat was zo'n beetje het hele probleem hier.

Mam is nog steeds pisnijdig op hem.

**MAM EN PAP (sms'jes van mams telefoon
gekopieerd)**

Toch niet de speurtocht?

Bingo

O god. Je laat haar toch niet weer onze sms'jes gebruiken, hè?

Waarom niet?

OMDAT IK DAN OVERKOM ALS SLECHTSTE VADER OOIT

Ook slechtste echtgenoot ooit. Vergeet dat niet

Weet ik! Het spijt me voor de 100e keer! Laat C alsje alsje alsjeblieft geen sms'jes gebruiken

Zal 't niet doen

Dank je!!!!!

Tenzij ik lieg. Want van liegen in sms'jes weten we ALLES, OF NIET SOMS ERIC??

Het spijt me zo zo zo heel heel erg

Weet ik. En ik vergeef het je

Dus je laat haar de sms'jes niet
gebruiken, toch?

Toch?

Schat?

Geen commentaar

↰ Bedankt, mam!

# HOOFDSTUK 1

## IK KRIJG EEN FANTASTISCH IDEE (MET EEN BEETJE HULP VAN MIJN BROER)

CLAUDIA

Ik kwam met het idee voor de speurtocht toen ik in buslijn M79 zat, die via Central Park naar school rijdt.

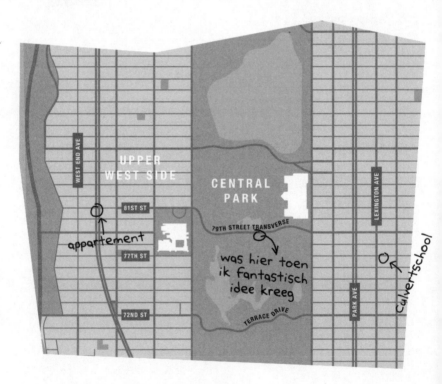

**RIES**

Jij hebt het niet bedacht! Het was MIJN idee!

Je hebt het gewoon nageaapt. En mij nooit een eervolle vermelding gegeven.

**CLAUDIA**

Wil je serieus een eervolle vermelding? Na alles wat er gebeurd is?

**RIES**

O ja... goed punt. Laat maar.

**CLAUDIA**

Trouwens, voor iedereen die het nog niet wist: Ries en ik zijn een tweeling.

Wat vreemd is. Want we zijn totaal niet tweeling-achtig. Eigenlijk zijn we HEEL verschillend.

Ik wil niet dieper ingaan op HOE we van elkaar verschillen, omdat ik ervan overtuigd ben dat ieder persoon speciaal en uniek is – en als je iemand een etiket opplakt, is dat net alsof je diegene in een kleine doos propt waar hij geen bewegingsruimte heeft en dus niet zichzelf kan zijn.

Wat duidelijk niet cool is.

Maar als iemand me zou DWINGEN een etiket op ons te plakken, dan zou ik De Slimme zijn.

En Ries De Sportieve.

Of eventueel De Stinkende.

Of misschien zelfs Degene-Die-Zijn-Leven-Verspilt-Door-Te-Gamen-Terwijl-Zijn-Zus-Bezig-Is-De-Wereld-Te-Verbeteren.

als we huisdieren zouden zijn, was ik:

en Ries was dan:

Snap je wat ik bedoel met etiketten? Ze zijn heel oneerlijk.

Ook al zijn ze waar.

Terug naar lijn M79.

bus M79 = tergend langzaam (maar sneller dan lopen) (maar niet heel veel)

Ries en ik zaten naast elkaar, en ik schreef een toespraak voor het leerlingenparlement over mijn voorstel om een inzamelingsactie te houden voor de Manhattan Voedselbank.

Het feit dat sommige mensen in New York niet genoeg te eten hebben houdt me HEEL ERG bezig. Al helemaal wanneer je bedenkt hoeveel gezinnen van de Culvertschool het heel goed hebben. Het lijkt me gewoon helemaal oneerlijk en verkeerd dat in het ene deel van de stad kinderen honger kunnen lijden, terwijl mensen zoals Athena Cohen zoveel geld hebben dat ze elk weekend met een privévliegtuig naar Bermuda kunnen vliegen.

En als president besloot ik hier iets aan te gaan doen.

**RIES**

Je realiseert je toch wel dat je alleen maar klassenpresident van groep 8 bent, toch?

Zo van, dat je niet de president van de hele stad bent?

**CLAUDIA**

Oké, a) duh.

b) New York heeft een BURGEMEESTER, geen president.

hier woont de burgemeester van NYC
(bijna net zo mooi als Het Witte Huis)
(maar moeilijk op foto te krijgen door bomen/hek)

En c) heb je ooit gehoord van de slogan 'Een beter milieu begint bij jezelf'?

**RIES**

Misschien. Was dat van een reclame voor Burger King?

**CLAUDIA**

Ik weet haast zeker van niet.

**RIES**

O. In dat geval: nee.

**CLAUDIA**

Dit is gewoon triest, Ries. Echt.

Terug naar de bus. Ik werkte aan mijn toespraak. En Ries kwebbelde over iets van MetaWorld.

## RIES

MetaWorld is sowieso de beste videogame in de geschiedenis van het heelal. Het is niet eens één game. Het is meer zoiets als vijftig verschillende games in elkaar geskrudseld. ← *geen bestaand woord*

En een daarvan is MetaHunt, dat is een soort van megagrote speurtocht. Alleen is het VEEL cooler dan een gewone speurtocht, omdat je andere spelers kunt doden en hun spullen kunt afpakken. Dus als je genoeg mensen afmaakt hoef je niet eens zelf naar die spullen te zoeken.

MetaHunt ziet er zo uit:

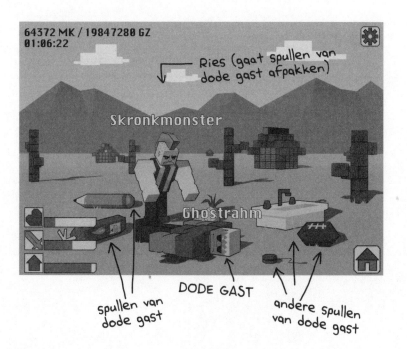

64372 MK / 19847280 GZ
01:06:22

Skronkmonster

Ghostrahm

Ries (gaat spullen van dode gast afpakken)

spullen van dode gast

DODE GAST

andere spullen van dode gast

Ik had superveel MetaHunt zitten spelen en toen moest ik eraan denken hoe te gek het zou zijn om een echte speurtocht door de hele stad New York te houden.

Alleen dan zouden we elkaar niet echt kunnen doden, of zo. Maar het zou alsnog cool zijn.

Dus Claudia zo van: 'Hou je kop, Ries! Ik ben m'n toespraak voor het leerlingenparlement aan het schrijven!'

En ik zo van: 'Je moet het LP een speurtocht laten maken! Voor de hele school!'

En Claudia zo van: 'Dat is het DOMSTE idee... Héééé, wacht 's even...'

**CLAUDIA**

En dat is in principe hoe het allemaal begon.

# HOOFDSTUK 4

## DE CULVERTSCHOOL IN DE BAN VAN DE SPEURTOCHT

**CLAUDIA**

Dus, dit is hoofdstuk 4.

Misschien vraag je je af waarom hoofdstuk 2 en 3 er niet zijn.

Die waren er wel. En persoonlijk vond ik ze best interessant.

Maar iedereen die de eerste versie heeft gelezen vond ze verschrikkelijk saai.

Sophie
Parvati
Carmen
Mam

Dus ik heb ze maar weggegooid. Maar mocht je het je afvragen: hoofdstuk 2 ging over de toespraak die ik hield, waardoor het leerlingenparlement goedkeuring gaf voor het organiseren van de Eerste Jaarlijkse Speurtocht voor het Goede Doel van de Culvertschool.

Ik wil niet opscheppen, maar het was een heel effectieve toespraak. Ik heb Miranda Fleet EN Gandhi geciteerd.

Miranda Fleet: 's werelds grootste singer-songwriter

Gandhi: 's werelds grootste vredesdemonstrant

Hoofdstuk 3 ging over de planning hoe we de tocht gingen organiseren. Met 'we' bedoel ik dan vooral mijzelf en Akash Gupta, de medevoorzitter van het speurtochtcomité. En ook onderdirecteur Bevan, want zij moest alles goedkeuren.

Akash zit op de middelbare school. Hij is de oudere broer van een van mijn beste vriendinnen en hij is ronduit geniaal – maar als ik eerlijk ben: dat maakt *(Parvati)* het wel moeilijk om met hem samen te werken.

**AKASH GUPTA, medevoorzitter van het speurtochtcomité**

Niet te geloven dat je hoofdstuk 3 hebt geschrapt! Dat was het beste hoofdstuk!

**CLAUDIA**

Ja, echt hè?! Maar iedereen vond het dodelijk saai.

**AKASH**

Mensen zijn idioot. Het is net zoals met programmeren. Iedereen wil Exploding Cows spelen. Maar niemand geeft een zier om hoe het is gemaakt.

Exploding Cows: compleet gestoorde
(maar zeer verslavende) app

SCORE: 2500

En het plannen van die speurtocht was hartstikke ingewikkeld! Al helemaal toen jij ermee kapte en ik alles zelf moest doen.

**CLAUDIA**

Ik ben er NIET mee gekapt. Het was gewoon zo dat toen ik bedacht dat ik mee wilde spelen EN mee wilde organiseren, juf Bevan ervoor zorgde dat ik moest aftreden als medevoorzitter, zodat het niet zou lijken alsof er sprake was van corruptie.

**AKASH**

Ja hoor, tuurlijk. Maak dat jezelf maar wijs. Zolang je 's nachts maar lekker kunt slapen, Sjaak Afhaak.

## CLAUDIA

En dit bedoel ik nou als ik zeg dat het moeilijk samenwerken is met Akash, dat je 't even weet.

Dit is wat er gebeurde: eerst was het niet de bedoeling dat ik zou meedoen met de tocht. Maar een van de dingen die Akash en ik moesten doen, was het bedenken van de prijzen voor de winnende teams.

En omdat juf Bevan niet wilde dat we grote bedragen gingen uitgeven, werden het nogal trieste prijzen voor de tweede en derde plaats.

## AKASH

Sorry hoor, maar een cadeaukaart van $ 20 voor Starbucks? Voor vier spelers in één team? Dat is belachelijk weinig! Daarvan kun je niet eens voor iedereen een Grande Frappuccino kopen.

En de derde prijs was nog slechter. Die Culvertschool-etuis zijn gewoon troep. Voor één dollar heb je al tien van die dingen, of zo.

~~Juf Bevan is een gierige krent.~~

~~Wacht, dit moet je er niet inzetten.~~

vergeten dit eruit te halen — sorry, Akash!

## CLAUDIA

~~Zal ik niet doen.~~

Maar de eerste prijs was een compleet ander verhaal. De vader van Allegra Bel heeft een of andere hoge functie bij Madison Square Garden. En Akash

heeft Allegra zover gekregen dat ze haar vader heeft
overtuigd om vier kaarten op de eerste rij van EEN
WILLEKEURIG EVENEMENT in de Garden als eerste
prijs te doneren.

MADISON SQUARE GARDEN (ook wel de
Garden genoemd) (ook wel MSG genoemd)

Empire State
Building maar
twee straten
verderop!

(iets geks
trouwens:
het is ROND)

Dat was fantastisch, gestoord, wonderbaarlijk,
ongelooflijk, en wat niet al, HELEMAAL TE GEK.

Want het programma van MSG voor de komende
tijd bestond niet alleen uit wedstrijden van de Knicks,
wedstrijden van de Rangers, een worsteling waar
wat zevendegroepers de laatste tijd helemaal weg van
waren, maar ook uit concerten van Fiddy K, Deondra,
EN Miranda Fleet.

Dat vond ik te gek. Miranda Fleet is niet alleen
's werelds grootste singer-songwriter, ze is ook
nog eens mijn idool en naast de president de enige

persoon wiens baan ik wil hebben wanneer ik volwassen ben. Dus de kans om haar live te zien, vanaf de EERSTE RIJ... was iets wat ik absoluut niet voorbij wilde laten gaan.

Bijna iedereen van de Culvertschool dacht er hetzelfde over. Toen het nieuws over de kaarten op de eerste rij naar buiten kwam, barstte de interesse in de speurtocht zo'n beetje los.

**SOPHIE KOH, beste vriendin van Claudia**
Iedereen raakte GEOBSEDEERD door die kaarten. Het was dagenlang het enige waar mensen het over hadden.

**PARVATI GUPTA, op een na beste vriendin van Claudia** *(gedeelde plek met Carmen)*
Mag ik even zeggen dat, toen ik hoorde dat ik kaarten kon krijgen voor Deondra op de eerste rij... ik het bijna in mijn broek deed. Zij is HELEMAAL TE GEK!

**CARMEN GUTIERREZ, op een na beste vriendin van Claudia** *(gedeelde plek met Parvati)*
Ik zat met een moreel dilemma. Want ik wist serieus niet of ik Miranda Fleet of liever toch Deondra wilde zien. Maar hoe dan ook, ik had echt zoiets van: 'WAAAAAAAAH!'

**RIES**

Eerst hadden veel van mijn vrienden iets van: 'Het
is een speurtocht – maar je mag geen mensen doden
en hun spullen afpakken? Wat heeft dat voor zin
dan?'

Maar toen ze erachter kwamen dat je gratis
kaartjes kon krijgen voor de Knicks of Fiddy K,
hadden ze zoiets van: 'BA-DAS-TISCH!'

↖ geen bestaand woord

**WYATT TEMPELMAN**, vriend van Ries ↖ (tevens licht
gestoorde gast)

Ik draaide helemaal door. Ik heb gehoord dat als je
bij een wedstrijd van de Knicks op de eerste rij zit, de
spelers zo ongeveer echt óp je zweten. Dat zou ZO tof
zijn.         NEE ECHT NIET (ieuw)

**XANDER BILLINGTON**, vriend van Ries (tevens zwaar
gestoorde gast)

Echt zo van: 'FIDDY K IN DA HOOOUUUSSSE!
KEIHARD GAS GEVUH!'

Die gratiz kaartjes zijn echt BEEST, yo.


**CLAUDIA**

Ter info, het is erg belangrijk om het volgende te
weten over Xander Billington: hij is niet alleen zwaar
gestoord, hij stamt ook af van een van de oudste
Amerikaanse families. Het blijkt zo te zijn dat de
familie Billington vanuit Engeland met de allereerste
kolonisten meereisde, met het schip *De Mayflower*.

Telkens als ik daaraan denk, vind ik het heel sneu voor de andere kolonisten.

AANKOMST VAN DE KOLONISTEN IN PLYMOUTH, MASS. 22 DEC. 1620

## RIES

De kaarten waren inderdaad echt beest, maar daar ging het mij niet eens om. Ik wilde gewoon winnen. Want ik ben een heel competitief persoon. Vraag de mensen uit mijn voetbalteam maar – door een oefenpotje word ik al opgejut!

En zo vaak krijg je de kans niet om de hele school te ownen.

Behalve dan met De Slag om de Boeken. Maar da's echt oneerlijk. Want die kun je alleen maar winnen als je, je weet wel...

echt bestaand woord (kun je nagaan)

**CLAUDIA**

Boeken leest?

**RIES**

Ja. Dus dat is niet echt iets voor mij. Maar een speurtocht? Absoluut mijn ding.

**CLAUDIA**

De speurtochtkoorts brak zo keihard uit, dat zelfs de Fembots besmet raakten.

Ik zal iets over de Fembots uitleggen.

Of eigenlijk, nee. Beter van niet. Want als klassenpresident van groep 8 is het mijn taak om iedereen op een eerlijke en gelijkwaardige manier te vertegenwoordigen. Zelfs Fembots.

Het zou HEEL onpresidentieel van me zijn om kwaad te spreken over iemand.

Dus ik laat Sophie even aan het woord.

**SOPHIE**

Oké, het zit dus ongeveer zo... Als Satan en de allerslechtste vrouw uit *Gewelddadige Huisvrouwen* een baby zouden krijgen, zou het een Fembot zijn. Ze vormen zo'n groepje op de Culvertschool met meiden die óf stinkend rijk zijn en denken dat ze heel wat voorstellen, zoals Athena Cohen en Ling Chen. Of ze zijn van die wannabe's, proberen erbij te horen, zoals Meredith en Clarissa.

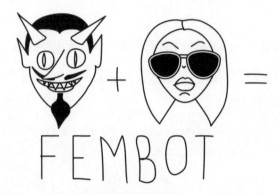

## CARMEN

Volgens mij boeiden die kaarten de Fembots helemaal niks. Ik bedoel, Athena's vader kan Madison Square Garden zo'n beetje KOPEN. Ik denk dat ze gewoon niet tegen het idee konden dat er iets gebeurde op de Culvertschool dat niet om hen draaide.

Of misschien kwam het doordat alle knappe jongens van de hogere klassen ook meededen.

## CLAUDIA

Hoe dan ook, de dag nadat we het nieuws over de kaarten bekend hadden gemaakt, zaten Parvati en ik tijdens Engelse les te praten over of ik zou proberen mee te doen met de speurtocht.

Het was een moeilijke beslissing, want ik wilde dolgraag Miranda Fleet vanaf de eerste rij zien – maar Akash en ik zouden ook bijna beginnen aan de lijst van te verzamelen spullen. En ik wist dat het hartstikke oneerlijk zou zijn als ik de voorwerpenlijst had gemaakt EN vervolgens de dingen van de lijst zou gaan zoeken.

Ik vroeg Parvati hoe zij erover dacht, en Athena Cohen zat ons af te luisteren. Ze draaide zich om in haar stoel en zei met een ontzettend jankerig stemmetje: 'Denk je nou ECHT dat jullie ENIGE kans maken om die kaarten te winnen? Wat ga je doen dan – heel Manhattan rondrijden op je kleine roze stepje?'

**PARVATI**

Dat was ZO belachelijk. We rijden al niet meer op die stepjes sinds groep 5, of zo.

klein roze stepje (moest ik uit opslag halen om foto te maken, want rij er al JAREN niet meer op)

**CLAUDIA**

Maar dat is typisch Athena. Die dingen noemen is haar manier om te zeggen: 'Jullie zijn maar kleine boerinnetjes die op hun stepjes moeten rijden, terwijl ik barst van het geld en mijn eigen privévliegtuig heb.'

**PARVATI**

Dus ik zei zoiets als: 'Wat ga jij dan doen, Athena? Jezelf laten ronddragen op de schouders van je butler?'

En zij, echt hè, tuitte haar lippen en zei zo van: 'Wat er maar voor nodig is, Parvati de Povere.'

Ik zweer je, ze noemde me echt 'de Povere'!

**CLAUDIA**

Ik weet het. Ik was erbij. Het was hartstikke achterbaks.

**PARVATI**

En ik draaide me jouw kant op, en ik had echt zoiets van: 'MIJN GOD, Clau – je MOET echt in ons team. Want NU wordt het ECHT PERSOONLIJK.'

**CLAUDIA**

Daar was ik het helemaal mee eens.

Dus ik ben naar juf Bevan gegaan, en zij zei dat als ik uit het speurtochtcomité zou stappen voordat de lijst werd gemaakt, er niets aan de hand zou zijn.

Dus ik ben officieel afgetreden als medevoorzitter, en ben al mijn aandacht gaan vestigen op het samenstellen van een team dat geweldig genoeg was om de Fembots te verslaan en het hele gebeuren te winnen.

Ik kreeg er alleen gigantische koppijn van.

# HOOFDSTUK 5

## WE STELLEN EEN INDRUKWEKKEND TEAM SAMEN (NA EEN LICHTELIJK UIT DE HAND GELOPEN ONENIGHEIDJE)

onenigheidje

team

CLAUDIA

Akash kwam met het idee om voor de speurtocht teams van vier personen te maken. Dat leek me perfect, want dat betekende dat ik samen met Sophie, Parvati en Carmen een team kon vormen. We noemden onszelf Team Hutspot, omdat we allemaal een andere etnische achtergrond hebben.

Maar helaas werd
de speurtocht gehouden
op een zaterdag. En op

Aziatisch-Amerikaans
Indiaas-Amerikaans
Cubaans-Amerikaans
Allerlei-Amerikaans (ik)

zaterdagen zit Sophie altijd helemaal volgeboekt.

SOPHIE

Ik heb dan ballet van 9:00 tot 11:00 uur en Mondeling Koreaans van 14:00 tot 16:00 uur. Maar dat was nog niet eens het probleem. Het probleem was dat ik die dag een viool-uitvoering had. En daar kon ik dus echt niet onderuit. Ik heb het Vioolconcert in G EIN-DE-LOOS geoefend.

## CLAUDIA

Daar had ik absoluut respect voor, al was ik er wel verdrietig om. Niet alleen omdat Sophie een grote aanwinst zou zijn, maar ook omdat ze mijn beste vriendin op de planeet is.

Dus we hadden een vierde persoon nodig voor Hutspot. En Carmen, Parvati en ik verschilden nogal van mening over wie dat zou moeten worden.

Zelf dacht ik dat we iemand moesten zoeken met talenten die wijzelf niet hadden. Het leek me bijvoorbeeld een goed idee om er een jongen bij te vragen, voor het geval we jongensachtige dingen zouden moeten zoeken. ← stripboeken, Pokémonkaarten, gore dingen, enz.

En ik dacht dat een sportieve, atletische jongen al helemaal goed zou zijn, want Parvati, Carmen en ik zijn meer van die binnen-blijf-types.

Plus, omdat wij allemaal Amerikaans zijn, leek het me goed om er iemand bij te hebben die in het buitenland geboren is, voor het geval we 'door de ogen van een allochtoon' moesten kijken.

En toen ik dat allemaal bij elkaar optelde, stond het natuurlijk vast dat het Jens Kuypers moest worden. Want a) hij is een jongen, b) heel atletisch, en c) is pas afgelopen zomer vanuit Nederland hiernaartoe verhuisd.

Nederland = klein/
schattig landje
(met windmolens)

**PARVATI**

Sorry hoor, maar kunnen we even eerlijk zijn hier?
De ENIGE reden waarom je Jens in het team wilde, is
omdat d) HIJ JE VRIENDJE IS.

**CARMEN**

Serieus, Claudia. Je hebt ons gewoon opgescheept
met je Nederlandse liefje.

**CLAUDIA**

Ik zal even flink korte metten maken met deze
kwestie en er volkomen eerlijk over zijn.

Ten eerste, Jens is technisch gezien NIET mijn

vriendje. Vooral omdat ik denk dat je in groep 8 nog
niet 'vriendje/vriendinnetje' zegt. Dat is meer iets
voor de middelbare school.

Hoewel het wel waar is dat Jens en ik vaak
afspraakjes hebben. Ik ga het niet tot in de details
over onze relatie hebben, omdat dat niemand
wat aangaat. Maar ik kan wel zeggen dat die al
tweeënhalve week duurt, en dat het goed gaat.

Alleen, dat is ABSOLUUT NIET de reden dat ik Jens
in ons team wilde. Ik dacht oprecht dat hij strategisch
gezien beter van pas zou komen om de Fembots
te verslaan dan Parvati's en Carmens eerste keus,
Kalisha Hendricks.

**PARVATI**

En ik zei zo van: 'DAT IS BELACHELIJK!'

Want Jens is wel schattig en aardig en zo? Maar,
sorry dat ik het zeg... Hij kwam altijd een beetje lui op
me over.

En het spijt me, maar Kalisha is briljant.

**CARMEN**

Ze is ZO briljant! Ze is de slimste van onze klas!

**CLAUDIA**

DAT weet ik nog niet. Ik bedoel, ja, Kalisha is
briljant. Zonder twijfel.

Maar er zitten VEEL slimme mensen bij ons in de klas. Bijvoorbeeld die rekentoets van vorige week? Kalisha had maar een 9,4. En ik weet sowieso dat er MINSTENS één iemand een 9,6 had.

**PARVATI**

Wie dan? Jij?

**CLAUDIA**

Het maakt niet uit wie het was. Ik zeg het alleen maar.

En nogmaals: Jens weet allemaal jongensdingen die wij niet...

**PARVATI**

Maar Kalisha ook! Want zij woont in Queens! Waar echt NIEMAND die daar niet woont iets over weet.

Ik bedoel, serieus, ik weet niet eens precies waar Queens ligt.

**CARMEN**

Kalisha zou ZO nuttig zijn geweest. En ze wilde dolgraag in ons team.

**CLAUDIA**

Voor de duidelijkheid wil ik er even op wijzen dat Kalisha het ook prima vond om NIET in ons team te zitten.

**KALISHA HENDRICKS, een van de slimste kinderen** ← in onze klas
(maar niet per se DE slimste)

Ik vond het allemaal best. Ik sloot me gewoon aan bij Yun en Charlotte. Toen kwam Max er als vierde bij.

**CLAUDIA**

En ter info, Jens is NIET lui. Hij is gewoon relaxed. EN hij had heel veel zin om er keihard voor te gaan.

**JENS KUYPERS, vriend** technisch gezien GEEN vriendje (zie pag. 36-37)

Ja hoor. Speurtocht klonk wel heel erg leuk. Beetje door New York wandelen en dingen vinden, want ik woon hier dus nog maar net, en ik dacht: lijkt me cool om te doen.

**CLAUDIA**

En ik wil niet gemeen zijn, maar daarnaast denk ik

dat Jens het wel fijn vond dat we hem hebben gered van een team dat, eerlijk gezegd, totaal geen kans had om te winnen.

Natuurlijk keek mijn broer daar anders tegenaan.

## RIES

Ik kon NIET geloven dat mijn eigen zus Jens van ons afpakte! Ik was vierentwintig uur per dag bezig geweest om Beestenploeg bij elkaar te krijgen! Ik, Xander, Wyatt en Jens zouden samen een droomteam zijn geweest!

Eigenlijk hadden we onszelf bijna Droomteam genoemd, in plaats van Beestenploeg.

## CLAUDIA

Nogmaals, ik probeer niet gemeen te zijn. Maar Droomteam zou een VEEL betere naam zijn geweest, omdat Ries alleen maar kon dromen van winnen. Zijn team had net zoveel kans om te winnen als een sneeuwbal van een brandende lucifer.

#Snappie?
(dat is een sneeuwbal)
(is de sjaak)
(net als Ries' team)

Eigenlijk zijn alle dingen waar Ries en zijn vrienden goed in zijn – zoals kopballen, het alfabet boeren, of worstelwedstrijdjes doen in de huiskamer en meubels kapot maken – bij een speurtocht totaal nutteloos. *(echt waar, TWEE KEER gebeurd)*

Maar dat weerhield ze er niet van om compleet door te slaan toen Jens zich bij Hutspot aansloot. Bekijk deze discussie maar eens die ik op Jens' ClickChat-pagina vond:

**CLICKCHAT-BERICHTEN OP JENS KUYPERS' OPENBARE PAGINA**

*Xander* — **XVerplettertZe** YO JK WT HR K NOU DMP JE ONS VR MEIDEN?
*Jens* — **kuypersjens** wat betekent dit?
**XVerplettertZe** RIES ZGT DT J DRUIT BNT ISDA WAAR?
**kuypersjens** sorry Xander ik snap niet wat je schrijft.
*Ries* — **SKRONKMONSTER** Zit je srs in m'n zusjes team voor speurtocht?
**kuypersjens** o ja sorry jongens
**XVerplettertZe** !!!!!JUDAS!!!!!
**SKRONKMONSTER** Je zei dat je bij ons ging!
*Wyatt* — **kouwekikker** Hoe komen we aan een vierde?
**XVerplettertZe** NIET KOEL YO
**kuypersjens** Het spijt me jongens Claudia is mijn vriendinnetje ik moet met haar mee

*technisch gezien SPREKEN WE SOMS AF (Jens' Engels is niet perfect)*

**RIES**

Ik werd letterlijk uit elkaar gerukt toen Jens stopte.
Maar toen had ik zoiets van: maakt ook niet uit, dan
zijn we gewoon met z'n drieën. We ownen ze ALSNOG!

**CLAUDIA**

Wat niet zo fijn was voor Beestenploeg, was dat
juf Bevan ze twee dagen voor de tocht vertelde dat
James Mantolini bij hen in het team werd geplaatst,
aangezien ze nog een plekje overhadden.

Ik moet iets uitleggen over James Mantolini.

Of, nee. Dat laat ik Ries doen.

**RIES**

Ik hou er niet van om te praten achter de rug van
mensen om. Maar bij James Mantolini zit er serieus
een steekje los.

Het is moeilijk uit te leggen. Het is alsof de Aarde
niet zijn thuisplaneet is, of zo.

Als je hem bijvoorbeeld vraagt: 'Hé James, hoeveel
is twee plus twee?' Dan zegt hij iets als: 'Worstjes!'

En hij werkt zich VAAK in de nesten op school. Zo
is hij altijd al geweest. Vroeger in groep 1 werd hij een
keer naar de directiekamer gestuurd omdat hij het
haar van Molly Preston had gegeten. Terwijl het nog
op haar hoofd zat.

Dat was nogal ziek. Ik zat naast Molly toen het

gebeurde, en ik zal dat beeld NOOIT meer uit m'n
hoofd krijgen, of zo.

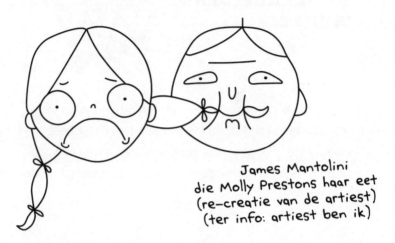

James Mantolini
die Molly Prestons haar eet
(re-creatie van de artiest)
(ter info: artiest ben ik)

Dus het was geen verrassing dat niemand
James in zijn team wilde. En toen juf Bevan hem in
Beestenploeg stopte, waren Xander, Wyatt en ik nogal
geskroeid. ⟶ G.B.W.
Ik beweer niet dat ('Geen
ALLE gekke en illegale Bestaand
dingen die gebeurd zijn Woord')
James' schuld waren.

Maar toch zeker wel de helft daarvan.

De andere helft was de schuld van pap.

# HOOFDSTUK 6

## DE BEGELEIDERS-SITUATIE

### CLAUDIA

Als klassenpresident van groep 8 ben ik me ervan bewust dat leiderschap om verantwoordelijkheid draait. Als er iets verkeerd gaat, moet een ware leider naar voren stappen en een deel van de schuld op zich nemen.

Maar de begeleiderssituatie was totaal niet mijn schuld.

Want pas drie dagen voordat de tocht zou beginnen, besloot juf Bevan opeens dat elk team een begeleider nodig had. Dus Akash en ik moesten plotseling in zeer korte tijd 25 ouders zoeken die wilden helpen. En dus zaten we met niet al te beste kandidaten opgescheept.

Zoals mijn vader.

Pap is advocaat, en het probleem met advocaten is dit: ze werken normaal gesproken op zaterdagen. En zondagen. En zo'n beetje alle andere dagen ook. En de avonden. (plus feestdagen/vakanties/verjaardagen/enz.)

Ik moet wel zeggen dat, ondanks de rare uren waarop hij werkt, pap veel om ons geeft. En daardoor stemde hij er uiteindelijk mee in om ons te begeleiden, met een beetje emotionele chantage van mam:

## MAM EN PAP (sms'jes)

Je moet het team van Ries begeleiden bij sprtcht deze zat. 10:00-16:00

Kun jij dat niet doen? Kom om in werk deze week

Ik begeleid Claudia's team al

Kunnen ze niet samen in team?

Heb je onze kinderen weleens ontmoet?

Goed dan. Maar neem waarsch wel laptop mee om daar te werken

Ja, natuurlijk. Dat is totaal niet onrealistisch

Ben je nu sarcastisch?

> Behoorlijk

> MAAR IK HOU VAN JE

> Hou ook van jou! Zal ik eten meebrengen op terugweg naar huis?

> Het is middernacht. Heb uren geleden al gegeten. Ga nu naar bed

> O god! Ik ga een andere baan zoeken

> Zou je echt moeten doen

## CLAUDIA

Toevallig was pap ook de enige sponsor op Ries' sponsorlijst.

## RIES

Ik was heel erg van plan om duizenden sponsors te krijgen. Maar op de dag dat we de lijsten kregen had ik voetbaltraining, en mijn sponsorlijst belandde op de bodem van mijn rugtas, onder mijn voetbalschoenen.

En toen ben ik zo'n beetje vergeten dat hij daar zat, tot, zeg maar, tien minuten voordat de tocht begon.

andere dingen die Ries is vergeten/verloren op bodem van rugtas:
- rapport
- toestemmingsstrookje voor schooluitje
- vieze sokken (erg stinkend)
- boterham van een week oud (HEEL erg stinkend)

## CLAUDIA

Omwille van de geschiedschrijving, dit is hoe Ries'
sponsorlijst eruitzag:

### EERSTE JAARLIJKSE SPEURTOCHT VOOR HET
### GOEDE DOEL VAN DE CULVERTSCHOOL
### (ALLE OPBRENGSTEN GAAN NAAR
### DE MANHATTAN VOEDSELBANK)

### SPONSORLIJST

Beste sponsor,

Hallo! Bedankt dat je wat wilt doneren aan de Manhattan
Voedselbank, die hulpbehoevende kinderen en gezinnen
voorziet van voldoende voeding.

Je kunt voor het team dat je ondersteunt een willekeurig
bedrag per punt, óf een vast bedrag doneren. Het maximale
aantal punten dat een team kan binnenhalen is 250, maar het
is zeer onwaarschijnlijk dat er teams zijn die alle punten gaan
halen.

Cheques kun je uitschrijven op naam van de Manhattan
Voedselbank. Giften zijn aftrekbaar van de belasting!

Naam deelnemer: **Ries Tepper**
Teamnaam: **Beestenploeg!!!**

| NAAM SPONSOR | CONTACT INFORMATIE | BEDRAG PER PUNT | VAST BEDRAG |
|---|---|---|---|
| Voorbeeld: Meneer X | Verzonnenpersonen-straat 99, NY, NY ikbestanietecht@gmail.com | 25 cent | $ 62,50 (als mijn team geweldig blijkt en alle 250 pt. verdient, maar waarschijnlijk wordt het $ 25 per 100 pt.) |
| PAP | WEA 437 6D NY NY 100 ZK | ~~10~~ cent | ~~$ 3500~~ |
| | | ~~15~~ cent | ~~$ 250~~ |
| | | 25 cent per 100 | pt. maximaal! |

grote discussie pap/Ries hier

(ter grootte an nop voet-balschoen) gat

moddervlek (hoop ik)

<< 47 >>

Niet om op te scheppen of zo, maar dit is hoe MIJN sponsorlijst eruitzag:

**EERSTE JAARLIJKSE SPEURTOCHT VOOR HET GOEDE DOEL VAN DE CULVERTSCHOOL (ALLE OPBRENGSTEN GAAN NAAR DE MANHATTAN VOEDSELBANK)**

## SPONSORLIJST

Beste sponsor,

Hallo! Bedankt dat je wat wilt doneren aan de Manhattan Voedselbank, die hulpbehoevende kinderen en gezinnen voorziet van voldoende voeding.

Je kunt voor het team dat je ondersteunt een willekeurig bedrag per punt, óf een vast bedrag doneren. Het maximale aantal punten dat een team kan binnenhalen is 250, maar het is zeer onwaarschijnlijk dat er teams zijn die alle punten gaan halen.

Cheques kun je uitschrijven op naam van de Manhattan Voedselbank. Giften zijn aftrekbaar van de belasting!

Naam deelnemer: Claudia Tepper
Teamnaam: Team Hutspot

| NAAM SPONSOR | CONTACT INFORMATIE | BEDRAG PER PUNT | VAST BEDRAG |
|---|---|---|---|
| Voorbeeld: Meneer X | Verzonnenpersonen straat 99, NY, NY ikbestanietecht@gmail.com | 25 cent | $ 62,50 (als mijn team geweldig blijkt en alle 250 pt. verdient, maar waarschijnlijk wordt het $ 25 per 100 pt.) |
| Jennifer Pomeroy | JPome~~~~~~ | $1,00 | |
| Marianne Pomeroy | ~~~~~~~~~~ | — | $25,00 |
| RUTH TEPPER | ~~~~~~~~~~ | — | $25,00 |
| Gabrielle Pomeroy | Pome~~~~~ | 50 cent | |
| Peter Petschek | ~~~~~~~~ | 25 cent | |
| Evelyn Gilman | ~~~~~~~ | 25 cent | |
| Randy Rhoads | Randy Te~~~~ | | $10,00 |

MAM
oma
andere oma
tante Gabby
PORTIER
buurvrouw
gitaarleraar

contac info doorge streep vanwe privac

GAAT VERDER OP ACHTERZIJDE >>>

nog 8 sponsors op de achterkant

## CLAUDIA

Eerst was er niks wat erop wees dat pap voor problemen zou zorgen. Eigenlijk was ik de ochtend van de speurtocht veel bezorgder om mam.

De avond van tevoren hadden we met zijn allen bedacht dat we om 8:45 gezamenlijk de deur uit zouden gaan, aangezien ik om 9:00 op school moest zijn om Akash en juf Bevan te helpen alles klaar te zetten.

Om 8:41 stond ik bij de voordeur van ons appartement, helemaal klaar om te gaan.

Om 8:50 stond ik NOG STEEDS bij de voordeur. En was ik superkwaad aan het worden op mijn familie.

Mam stond haar haar te föhnen. Ries zat nog in zijn onderbroek. En pap kreeg net een telefoontje van iemand op zijn werk die Larry heette.

Ik wist dat, omdat pap de hele tijd dingen in zijn telefoon schreeuwde als: 'Larry, dat lukt wel...' en: 'Larry, daar zorgen we wel voor...!' en: 'LARRY! HOU JE RUSTIG! DIT IS GEEN CRISIS!'

Wat best raar was, want a) pap klonk alsof HIJ degene was die zich niet rustig kon houden en b) het klonk wel degelijk als een crisis.

Om 8:53 was mam eindelijk klaar, dus we lieten Ries en pap achter en gingen naar school.

**RIES**

Dat was zo niet cool om ons achter te laten. Ik was klaar om te gaan!

**CLAUDIA**

Ben je gek? Je droeg niet eens een broek.

**RIES**

Die had ik in de lift aan kunnen trekken.

**CLAUDIA**

Ik ga niet eens proberen uit te leggen waarom dat een slecht idee is.

lift in ons appartementencomplex —
NIET OKÉ om hier in te staan
zonder broek

Dus mam en ik pakten een taxi op West End Avenue, en terwijl we door de stad reden zei mam: 'Dit wordt vast een leuk dagje... Ik kijk ernaar uit om Jens te ontmoeten.'

Op dat moment drong het tot me door dat het wel eens de grootste fout van mijn leven kon zijn om mam het team te laten begeleiden waarin de jongen zat met wie ik weleens afspraakjes had.

De rest van de taxirit waren we bezig met het bedenken van spelregels voor mam-Jens-confrontaties. Tegen de tijd dat we bij de Culvertschool aankwamen, stemde mam ermee in dat ze zou doen alsof ze niet wist dat Jens en ik af en toe afspraakjes hadden, zou doen alsof ze Jens' naam nog nooit eerder had gehoord, en hem alleen vragen zou stellen die je enkel uit beleefdheid stelt.

*vooral ongeschreven regels (want geen tijd om op te schrijven) (ook erg moeilijk schrijven in taxi)*

We spraken ook een codewoord af dat ik kon gebruiken als ze iets gênants zou zeggen of doen, zodat ze daar direct mee kon stoppen: lippenbalsem.

*goed voor gebarsten lippen en/of code-woord*

Toen we uit de taxi stapten, drong het tot me door dat het codewoord een probleem zou kunnen worden als ik echt mams lippenbalsem nodig had.

Maar toen zag ik de Mysterieuze Zwarte Auto voor de school staan, en vergat ik op slag het probleem van de lippenbalsem en alle andere dingen.

als dit een film zou zijn, zou hier ONHEILSPELLENDE-ZWARTE-AUTO-muziek worden ingezet

# HOOFDSTUK 7

# DE MYSTERIEUZE ZWARTE AUTO

CLAUDIA

Het was zo'n dienstauto-type, met geblindeerde ramen en een chauffeur. En hij stond daar maar naast de stoep te wachten, alsof hij klaarstond om de hele dag iemands team rond te chauffeuren door de stad.

MYSTERIEUZE ZWARTE AUTO (niet de echte)
(maar leek hierop) (maar dan met geblindeerde ramen)

En dat leek me GRUWELIJK valsspelen.

Behalve dat het technisch gezien geen valsspelen was... TENZIJ er nog genoeg tijd was om 'GEEN AUTO'S' aan de regels toe te voegen. Dus ik rende de eetzaal in om op het laatste moment de regels nog aan te scherpen met Akash en juf Bevan.

Maar ze hadden geen aandacht voor me, omdat ze midden in een gigantische ruzie zaten.

**AKASH**

Het was belachelijk! Dat ding bij de Brooklyn Bridge was het coolste stuk van de lijst! En dat moest ik van haar schrappen! Om een ACHTERLIJKE reden!

**CLAUDIA**

Ik was het wel met juf Bevan eens. Het zou ECHT levensgevaarlijk zijn om dat ding bij de Brooklyn Bridge voor elkaar te krijgen.

**AKASH**

Je meent het! DAAROM WAS HET OOK 20 PUNTEN WAARD!

**CLAUDIA**

Maar speurtochten horen niet dodelijk te zijn.

## AKASH

DE LEUKE WEL! Dit was mijn ergste nachtmerrie! Had ik een meesterstuk gemaakt, verpestte juf Bevan het weer met haar domme regels! Ik zat er echt serieus over te denken om uit protest af te treden.

## CLAUDIA

Toen Akash er uiteindelijk toch mee instemde om niet af te treden en naar huis te gaan, vroeg ik of we een geen-auto-regel konden toevoegen. Maar juf Bevan was te gestrest doordat ze op alle voorwerpenlijsten de Brooklyn-Bridge-zinnen moest doorstrepen, dus ze kon even niets hebben.

Toen begonnen de mensen binnen te stromen en elk team kreeg een envelop waarop **'NIET OPENEN'** stond, een papier met de regels, en een Kalvin de Kat.

KALVIN DE KAT-KNUFFELS

Kalvin is de mascotte van onze school, en de katten waren precies dezelfde als die je krijgt op je eerste dag van de Culvertschool, in groep 1. In eerste instantie vroeg ik me af waarom elk team er eentje kreeg.

**AKASH**

De helft van de voorwerpenlijst bestond uit het maken van foto's, en we moesten er zeker van zijn dat de foto's gemaakt waren tijdens de speurtocht. Dus we hadden besloten om iedereen een ding mee te geven dat ze op elke foto moesten laten zien.

En ik had echt TE GEKKE dingen bedacht. Maar die kostten allemaal geld. Dus van juf Bevan moest ik die stomme Kalvins gebruiken, omdat ze er toch een hele stapel van in de kast had liggen. En ze is een je-weet-wel. ← (gierige krent)

(nogmaals sorry, Akash)

**CLAUDIA**

Door de Kalvins raakten mensen serieus in de war. Toen ik de eetzaal uit liep om de rest van mijn team te zoeken, zag ik Xander, die idiote vriend van mijn broer, de Kalvin van Beestenploeg in een prullenbak mieteren.

**XANDER**

Ik echt zo van: 'WAAAAT? Dit iz niet de eerste dag van groep 1, ja toch.'

**CLAUDIA**

Ik stond net op het punt om Xander uit te leggen dat die Kalvins vast en zeker nodig waren tijdens de speurtocht, toen Parvati en Carmen kwamen aanlopen.

Ze flipten helemaal. Parvati schreeuwde zo'n beetje: 'HEB JE AL DIE AUTO'S ZIEN STAAN?'

Ik werd direct bang. Want ik had maar één auto zien staan.

**PARVATI**

Ik zei iets van: 'O MIJN GOD, Clau, ER ZIJN ER VIER!!!'

**CLAUDIA**

En ik kon alleen maar denken: als er VIER teams de hele stad door gereden worden... zijn wij DE SJAAK.

**CARMEN**

Ik probeerde jullie te kalmeren. Want als het heel druk is op de weg – bijvoorbeeld als er een optocht is, of wat braderieën – is het sneller om met de metro te gaan. Dus met een dienstauto heb je misschien helemaal niet zo'n grote voorsprong.

**CLAUDIA**

We gingen met z'n drieën zitten en probeerden te

bedenken welke teams rijk en walgelijk genoeg waren om zes uur lang een dienstauto te kunnen betalen.

De Fembots – die zichzelf Het Godinnen Genootschap noemden, hoewel Satans Bruiden een betere naam was geweest – waren dat sowieso.

Maar met uitzondering van een paar zij-zouden-zoiets-nooit-doen-teams, bijvoorbeeld de Avada ← *team van Kalisha*
Kedavra's, was bijna iedereen wel een verdachte.

We waren het lijstje aan het doornemen toen Jens eraan kwam. Hij vroeg waar we het over hadden, en toen we dat vertelden, zei hij: 'Gaan we niet gewoon lopend?'

Carmen en Parvati keken hem scheef aan.

*meest voor de hand liggende dienstautogebruikers:*
*– De Hardheid*
*– Voordringers!*
*– Stinkadem*
*– De Hoofse Ridders*
*– Vuurteam Vier*
*– Doderz*
*– De Hoe-issies*

**CARMEN**

Ik had echt zoiets van: 'Hallo? Manhattan is TWINTIG KILOMETER LANG!'

*eigenlijk 21,5 km (dus bijna goed)*

**JENS**

Ik zei tegen Carmen: 'Maar het is prachtig weer vandaag! Perfect voor een wandeling.'

*om eerlijk te zijn, het WAS ook prachtig weer*

**PARVATI**

Ik zal er geen doekjes om winden. Ik maakte me HARTSTIKKE veel zorgen om Jens en die houding van hem. Hij had echt zoiets van: 'O, laten we lekker rondstruinen en bloempjes plukken.'

En ik zo van: 'Sorry hoor, maar dit is een STRIJD OM LEVEN EN DOOD? En de Fembots hebben een dienstauto ingehuurd? En drie andere teams ook? Dus dit is nogal een crisis!

**CLAUDIA**

Ik wilde net Jens even apart nemen om hem eraan te herinneren hoe belangrijk het voor de rest van Team Hutspot was om te winnen, maar toen kwam mam naar ons toe lopen. Ik zette mezelf schrap voor wat mam-Jens-ongemakkelijkheid, maar ze keek niet eens naar hem.

In plaats daarvan zei ze, met een stem die strak stond van de stress: 'Heb je je broer ergens gezien?'

Had ik niet. Waarschijnlijk omdat hij en pap net op dat moment zo hard ze konden over 77th Street aan het rennen waren.

# HOOFDSTUK 8

## RIES EN PAP MISSEN BIJNA HET HELE GEBEUREN

RIES

Toen ik mijn broek had aangetrokken, hing pap nog steeds met zijn werk aan de telefoon. Dus ik ging nog even wat MetaWorld spelen en vergat helemaal de tijd, totdat Wyatt me sms'te van: 'WAAR BEN JE?'

En ik besefte dat het iets van vijf voor tien was, of zo.

Dus ik schoot in de paniekmodus. En ik zorgde dat pap ophing – want hij raakte er helemaal gestrest van – en we stetterden zo'n beetje naar beneden, recht een taxi in. 🡤 G.B.W.

In de taxi bekeek pap een e-mailtje van zijn werk op zijn telefoon en maakte hij een soort van muuuuuuh-geluid, alsof iemand hem in zijn maag stompte.

Toen keek hij me aan en zei: 'Even een vraagje, knul...' met zo'n heel zachte stem, alsof hij je moet vertellen dat je goudvis doodgegaan is en hij hem door de wc heeft moeten spoelen.

enige foto ooit
gemaakt van Ries'
goudvis 'Zwemmie'
(leefde 3 dagen)

Dus ik wist dat wat hij ging zeggen, niet goed was.

En pap zo van: 'Hoe hard hebben jullie een begeleider nodig?'

En ik zo van: 'Pap, je kunt ons ECHT NIET laten zitten.'

Toen kwam de taxi vast te zitten in het verkeer en sprongen we eruit om rennend verder te gaan.

**MAP EN PAP (sms'jes)**

Ben je al onderweg? 10 min. voordat het begint

5 min. voordat het begint

Vertel me alsjeblieft dat je onderweg bent en niet nog steeds zit te bellen

3 min. voordat het begint

**CLAUDIA**

Juf Bevan hield een openingstoespraak waarin ze iedereen bedankte voor zijn aanwezigheid, en ons eraan herinnerde dat dit voor het goede doel was, en zei dat we allemaal winnaars waren alleen al omdat we ons best deden voor de Manhattan Voedselbank, en dat we dus niet te competitief hoefden te zijn.

Iedereen negeerde dat, want iedereen in de eetzaal kon alleen maar denken: KAARTEN OP DE EERSTE RIJ IN DE GARDEN! IK GA OVER LIJKEN OM TE WINNEN!

Toen nam ze de regels door. Omwille van de

geschiedschrijving – en omdat sommige regels later HEEL belangrijk bleken te zijn – volgt hier het papier met de regels:

## EERSTE JAARLIJKSE SPEURTOCHT
## VOOR HET GOEDE DOEL VAN DE CULVERTSCHOOL

### REGELS

**DOELSTELLING:** De meeste punten scoren door zoveel mogelijk voorwerpen van de lijst te verzamelen. Let op: verschillende voorwerpen hebben een verschillende puntenwaarde.

**TEAMS:** Elk team bestaat uit maximaal vier personen. Teamgenoten dienen bij elkaar te blijven tijdens de tocht.

**BEGELEIDERS:** Elk team moet constant onder toezicht van een begeleider staan.

**OVERTREDINGEN:** Alle voorwerpen/foto's moeten verworven worden TIJDENS de tocht, uitsluitend door teamgenoten. Een team dat deze regel overtreedt, wordt gediskwalificeerd.

**FOTO'S:** Op elke foto MOET Kalvin de Kat zichtbaar zijn om de volle puntenwaarde toegekend te krijgen.

**INCHECKEN:** Elk team moet minstens één keer per uur inchecken op de officiële ClickChat-pagina van de speurtocht (@TsaarVanDeTocht).

**TIJDSLIMIET:** De tocht eindigt om KLOKSLAG 16:00 uur. Je complete team MOET op dit tijdstip met zijn voorwerpen aanwezig zijn in de eetzaal van de Culvertschool. Laatkomers worden gediskwalificeerd.

**PRIJZEN:** **EERSTE PRIJS:** vier (4) kaarten voor de eerste rij in Madison Square Garden voor ELK WILLEKEURIG EVENEMENT dat plaatsvindt tussen nu en de laatste schooldag (14 juni).
**TWEEDE PRIJS:** Een (1) Starbucks-cadeaukaart ter waarde van $ 20, die eerlijk verdeeld moet worden onder de vier teamleden.
**DERDE PRIJS:** Vier (4) etuis van de Culvertschool.
**VIERDE PRIJS:** Er is geen vierde prijs.

**ONGEVALLEN, ETC.:** Bij ernstige problemen, bel of sms mevr. Bevan: ~~███~~
Bij minder ernstige problemen, stuur Akash G. een bericht op ClickChat (@TsaarVanDeTocht).

**SPONSORS:** Al het opgebrachte geld s.v.p. inleveren bij het kantoor van juf Bevan, uiterlijk op **maandag 3 nov.** vóór sluitingstijd van de school. Zorg ervoor dat uitgeschreven cheques te innen zijn door de Manhattan Voedselbank.

**CLAUDIA**

Toen ze de regels had doorgenomen, vroeg juf Bevan of er nog vragen waren.

Iedereen dacht dat we eindelijk konden starten, dus de mensen in de eetzaal begonnen al op te staan van hun stoel, maar toen stak de moeder van Dimitri Sharansky haar hand in de lucht en vroeg of alle voorwerpen op de lijst notenvrij waren.

Juf Bevan deed er eeuwig over om die vraag te beantwoorden, omdat ze daarvoor een paar dingen moest googelen op haar telefoon. En toen ergerde iedereen zich dood aan Dimitri's moeder. Vooral Dimitri zelf (al is zijn notenallergie wel heel ernstig).

mogelijkerwijs
fataal voor Dimitri
Sharansky

Ergens tijdens dat moment kwamen Ries en pap opeens binnenlopen.

**RIES**

Ik was totaal verbijsterd. Komen we daar aan, buiten adem en drijfnat van het zweet – zit de hele eetzaal daar juf Bevan aan te gapen terwijl zij op haar telefoon staat te kijken.

**CLAUDIA**

Uiteindelijk zei juf Bevan: 'Ja! Alles is notenvrij. Iemand anders nog vragen...? Nee? Goed, LAAT DE SPEURTOCHT DAN BEGINNEN!'

Er klonk een scheurend geluid toen iedereen zijn envelop openmaakte, en we kregen de lijst voor het eerst te zien:

## EERSTE JAARLIJKSE SPEURTOCHT VOOR HET GOEDE DOEL VAN DE CULVERTSCHOOL
## VOORWERPENLIJST
**\*\*OP ALLE FOTO'S MOET EEN KALVIN DE KAT-KNUFFEL TE ZIEN ZIJN!!!\*\***

boekenlegger van Boekhandel The Strand (Greenwich Village) – 3 punten
foto van het Charging Bull-standbeeld op Wall Street (Financial District) – 3 pt.
flessendopje van de 5-cent-colamachine bij Tekserve (Chelsea) – 3 pt
ruggenkrabber van bamboe van Ting's (Chinese wijk) – 3 pt
foto van het 'Imagine'-mozaïek in Strawberry Fields (Central Park) – 3 pt
spoorlijnboekje van de North Harlem-metro (station Grand Central) – 3 pt
servetje met het logo van het Waldorf Astoria Hotel erop (Upper East Side) – 3 pt
pizza-menukaart waarop een pizzastuk voor 99 cent of minder staat – 4 pt
zak met nepkattenpoep van de New York Feestwinkel (Greenwich Village) – 4 pt
plattegrond van het Natural History Museum (Upper West Side) – 4 pt
drie jellybeans met boterpopcornsmaak van Dylans Snoepwinkel
    (Upper East Side) – 4 pt
winkeltasje van Forbidden Planet (Greenwich Village) – 4 pt
klein beeldje (7,5 cm of kleiner) van het Empire State Building (Midtown) – 5 pt
affiche van een Broadway-musical (Times Square) – 5 pt
klantenkaart van Katz's Deli (Lower East Side) – 5 pt
bonnetje van een taxirit van minstens 1,5 km – 5 pt
bestelformulier van Nom Wah Tea Parlor (Chinese wijk) – 5 pt
foto van de nationale vlag van India voor de United Nations (Midtown) – 6 pt
flyer voor een solo-expositie van een kunstgalerie in Chelsea (Chelsea) – 6 pt
foto van een schilderij met een hond erin van het Metropolitan Museum of Art
    (Upper East Side) – 6 pt
foto van de Bethesda-fontein gemaakt vanuit het midden van de gondelvaart
    (Central Park) – 7 pt

een cannolo van Café Palermo (Little Italy) – 8 pt
flyer van geplande shows in het Apollo Theater (Harlem) – 8 pt
foto van een prijskaartje van een voorwerp dat duurder is dan $ 100.000
    bij Bloomingdale's (Upper East Side) – 8 pt
ansichtkaart van het Roosevelt Island-museum (Roosevelt Island) – 8 pt
foto van iemand in een Flubby-pak die Kalvin de Kat vasthoudt (Times Square) – 8 pt
foto van het Yankee-stadion, ingang 4 (Bronx) – 10 pt
video van de 1e vier noten van Beethovens 5e Symfonie, terwijl ze gespeeld
    worden op de vloerpiano bij FAO Schwarz (Midtown) – 10 pt
foto van het Vrijheidsbeeld, gemaakt vanaf de veerboot naar Staten Island
    (Rivier de Hudson) – 10 pt
foto van een hondenuitlater die minstens 4 honden aangelijnd heeft –
    12 pt (+ 2 pt voor elke extra hond)
foto van de Unisphere (Queens) – 12 pt
foto gemaakt vanuit de voorste zitplaats in de Cyclone-achtbaan op Coney
    Island (Brooklyn) – 15 pt

een cronut van bakkerij Dominique Ansel (SoHo) – 30 pt
foto van Kalvin de Kat die gekust wordt door Deondra – 500 pt

*was eerst de
opdracht bij de
Brooklyn Bridge*

**AKASH**

Zelfs zonder dat ding bij de Brooklyn Bridge is die
lijst een meesterwerk.

**CLAUDIA**

Behalve dan die ene gigantische vergissing die
verschrikkelijke gevolgen voor iedereen had.

**AKASH**

Kan ik er wat aan doen dat mensen niet tegen een grapje kunnen.

**CLAUDIA**

Het was een paar seconden stil toen iedereen de lijst bekeek. Toen sprintte iedereen als een bezetene naar de uitgang.

We liepen op de stoep en het eerste wat ik zag was Meredith Timms die een dienstauto instapte terwijl een chauffeur in pak het portier voor haar openhield.

Toen Ling Chen, die in de tweede dienstauto stapte...

Gevolgd door Clarissa Parker, die in de derde verdween...

En als laatste Athena Cohen en haar moeder, die op de laatste afliepen.

Alle vier de Fembots. In vier verschillende auto's.

**CARMEN**

Ik kreeg letterlijk een hartstilstand.

**PARVATI**

Ik denk dat ik zo ongeveer schreeuwde, of zo.

re-creatie van de artiest,
van Parvati die de Fembots
in vier verschillende auto's
ziet wegrijden
(Parvati lijkt hier NIET op)
(als je 't niet snapt, google
dan 'schilderij De Schreeuw')

## CLAUDIA

Het was eerder een klein gilletje. Maar ja. Dat deed je inderdaad.

En dat was heel goed te begrijpen. Want de speurtocht was nog maar twee minuten geleden begonnen – en we werden direct al vermorzeld door de Fembots.

# HOOFDSTUK 9

## HET TEAM VAN MIJN BROER IS RAAR EN GOOR

**CLAUDIA**

Ik laat het aan Ries over om uit te leggen wat er met Beestenploeg gebeurde, want a) ik was er niet bij, en b) ik snap het nog altijd maar half. Het was gewoon één grote warboel.

**RIES**

Toen we van juf Bevan mochten beginnen, renden Xander en Wyatt naar ons toe, en Wyatt zei zo van: 'Xander heeft onze Kalvin weggegooid!'

Pap en ik hadden zoiets van: 'Huuuuh?' We waren net aangekomen, dus we wisten nog helemaal niet dat alle teams een Kalvin hadden gekregen om te gebruiken voor de foto's.

Xander zei zo van: 'Komt wel goed, ja toch.' Toen liep hij naar een prullenbak en dook er zo'n beetje in.

En ik had echt zoiets van: 'Moeten we dingen zoeken in prullenbakken? Want dat is nogal smeugisch.'

G.B.W.

**WYATT**

Toen kwam James Mantolini eraan lopen. En hij zei zo van: 'Laat de strijd beginnen!'

Maar dan met een heel vies stemmetje, alsof hij met een buitenlands accent praatte. Dus het was meer zo van: 'Laaaaht die striiijjjd beginnennn.' James is echt raar.

**RIES**

Toen dook Xander weer op uit de prullenbak en zei: 'Man man man, wat is dat ranzig!'

**XANDER**

Een of andere idioot had een paar liter Starbucks-koffie in die bak gedumpt. Duz toen ik die kat eruit viste, was het een soort van natte, hete koffiespons geworden.

**WYATT**

Het was nogal goor. De Kalvin droop gewoon van de hete koffie.

En wij hadden echt zoiets van: 'Wat moeten we nu doen?'

En James zo van: 'Laten we er een foto van maken. Misschien zit er garantie op.'

**RIES**

En ik zo van: 'Jonge, wat hebben we daar nou weer aan? We hebben dat ding NU nodig.'

Dus James zo van: 'OKÉ. Ik zuig de koffie er wel uit.'

**JAMES MANTOLINI, teamgenoot van Beestenploeg/ heel raar persoon**

Ik was heel milieubewust bezig. Je weet wel: de koffie recyclen.

**RIES**

Dus James propte echt zo dat hele hoofd in z'n mond. En hij begon letterlijk te kokhalzen en stikte zowat...

de Kalvin van Beestenploeg na de koffie (ook na James' mond) (ieuw)

**CLAUDIA**

Mijn excuses. Ik wil je niet onderbreken. Maar kun je dit even overslaan en verdergaan met een niet-goor stuk?

**RIES**

Sorry. Dus uiteindelijk stopte James met dodelijk stikken, en we wrongen de rest van de koffie uit de Kalvin. Maar hij bleef bruin en zompig...

**CLAUDIA**

Serieus. Sla dit over.

**RIES**

Oké! Jemig.

Dus we bekeken de lijst, en we zagen dat alle dingen waar veel punten mee te scoren waren, helemaal onderaan stonden. Dus het leek ons slim om onderaan te beginnen en dan naar boven te werken.

Het eerste ding was 500 punten voor een foto van Kalvin die gekust wordt door Deondra.

een cronut van bakkerij Dominique Ansel (SoHo) – 30 pt
foto van Kalvin de Kat die gekust wordt door Deondra – 500 pt

Akash was nog steeds in de eetzaal, dus ik draaide mijn hoofd om en riep: 'Hé Akash! Is dat Deondra-ding een geintje?'

En Akash zo van: 'Natuurlijk is dat een geintje!'

## WYATT

Toen zei ik: 'Maar als het ons lukt krijgen we wel 500 punten, toch?'

En Akash zo van: 'O, ja hoor! Gewoon even de beroemdste popster van het universum opsporen vóór vier uur vanmiddag, haar je knuffelkat laten kussen, en je zit gebakken.'

Ik denk dat hij dat sarcastisch bedoelde. Maar ik had het best willen proberen als onze Kalvin niet net in James' mond had gezeten. En in de prullenbak. Dus ik denk dat Deondra het ding niet eens had willen kussen, als we haar al zouden vinden.

## RIES

Het op-een-na grootste voorwerp op de lijst was een cronut voor 30 punten.

Dus ik schreeuwde: 'Hé Akash! Wat is een cronut?'

En hij schreeuwde terug: 'Geen vragen meer stellen nu!'

En Xander zo van: 'Cronut man! Da's mijn ding!'

**XANDER**

Die cronuts zijn BEEST! Sowieso. Een hemel in je mond.

**RIES**

Inmiddels ben ik het volgende aan de weet gekomen over cronuts: ze zijn godsgruwelijk lekker. Maar er is maar één bakkerij in de stad die ze verkoopt. En ze maken er maar een paar per dag. Dus iedereen staat vroeg op en staat dan URENLANG in de rij om ze te kopen.

**XANDER**

Sowieso waar. Als ik de cronut-kriebels krijg? Betaalt mam-a-saurus onze hondenuitlater vijftig piek om er ontiegelijk vroeg op uit te gaan en in die rij te gaan staan om er eentje in m'n buikje te krijgen.

**RIES**

Je moeder betaalt een gast vijftig dollar om een cronut voor jou te halen? Wauw. Dat is nogal gestoord.

**XANDER**

Helemaal waar! Mammie houdt van haar X-man!

> dit zou kunnen verklaren waarom Xander zo'n vreselijk figuur is (heel slechte opvoeding)

## RIES

Toen Xander ons vertelde hoe moeilijk het is om aan zo'n cronut te komen, bedacht ik me dat het de rompslomp niet waard was. Maar toen zei pap – die naast ons stond te e-mailen op zijn telefoon – opeens: 'Die cronut-bakkerij zit in SoHo? KOM OP, WE GAAN!'

Voordat we het wisten had hij ons in een MPV-taxi gepropt en waren we op weg naar SoHo.

Wat heel toevallig richting het kantoor van pap was.

SoHo = 'SOuth of
HOuston Street'
('Ten zuiden van
Houston Street') =
heel veel winkels
(en toeristen)
(en dicht bij
paps kantoor)

# HOOFDSTUK 10

## DE HEEL SLECHTE (EN DAARNA HEEL GOEDE) START VAN MIJN TEAM

CLAUDIA

Voor Team Hutspot waren de eerste paar minuten nogal wazig. Er was veel geschreeuw en veel geren, en het is echt heel moeilijk om die dingen tegelijk te doen.

We schreeuwden omdat iedereen andere ideeën had om de Fembots aan te pakken. Vier verschillende auto's gebruiken leek me hartstikke illegaal als je uitging van de teamgenoten-dienen-bij-elkaar-te-blijven-tijdens-de-tocht-regel.

TEAMS: Elk team bestaat uit maximaal vier personen. Teamgenoten dienen bij elkaar te blijven tijdens de tocht.

Maar we konden het er niet over eens worden of we ze nou zelf moesten betrappen, of dat we ze door een ander team zouden laten verlinken bij juf Bevan.

En we renden omdat we wisten dat we snel

moesten zijn, wilden we enige kans op winnen maken als de Fembots niet gediskwalificeerd zouden worden.

We gingen richting het Met, omdat dat vanaf school de dichtstbijzijnde plek was waar je veel punten kon scoren (6 punten voor een foto van een schilderij met een hond erin).

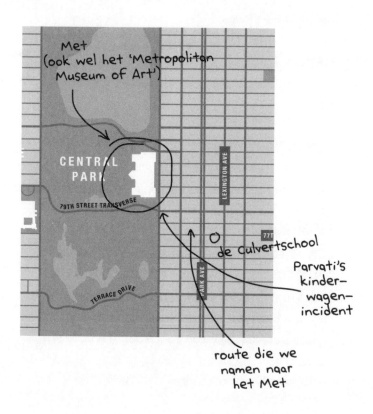

Met
(ook wel het 'Metropolitan Museum of Art')

CENTRAL PARK

79TH STREET TRANSVERSE

LEXINGTON AVE

PARK AVE

TERRACE DRIVE

77T de Culvertschool

Parvati's kinder-wagen-incident

route die we namen naar het Met

## PARVATI

Ik had zoiets van: 'We MOETEN ervoor zorgen dat
de Fembots gediskwalificeerd worden!'

En je moeder zo van: 'Laten we ons gewoon
bezighouden met onze eigen race en ons geen zorgen
maken over de andere teams.'

En jij zo van: 'Mam, LIPPENBALSEM!' Wat echt
nergens op sloeg.

*codewoord werkte niet,
omdat mam het vergeten was*

## CARMEN

En ik zo van: 'Waarom rent jouw sportieve vriendje
niet wat sneller?'

## JENS

Ik wist niet dat we zouden gaan rennen. Als ik dat
had geweten, had ik andere schoenen aangetrokken.

## CLAUDIA

Het zat zo: voor een jongen van 12 jaar heeft Jens
een GEWELDIG gevoel voor mode. Normaal gesproken
is dat te gek. Maar in het geval van de speurtocht was
het nogal een probleem. Want hij droeg supertoffe,
blauw-met-grijze, leren schoenen die fantastisch
bij zijn outfit stonden, maar eruitzagen alsof je er
moeilijk op kon rennen.

Jens' schoenen = supertof (maar NIET goed om te rennen)

Dus hij hield ons nogal op.

Hoewel Parvati er OOK voor zorgde dat we langzaam gingen – omdat ze probeerde juf Bevans telefoonnummer te bellen, terwijl ze in volle vaart aan het rennen was en naar ons schreeuwde.

Waardoor ze nogal dreigend overkwam, trouwens. Op een gegeven moment beukte ze zo'n beetje in op een kinderwagen, waardoor ze een kind van twee met z'n oppas liet struikelen.

## PARVATI

Sorry hoor, maar die oppas? Deed ABSOLUUT haar werk niet. Ze had me moeten zien aankomen en moeten uitwijken.

Maar ik kreeg juf Bevan wel aan de telefoon. En zij zei zo van: 'Bedankt voor de informatie. Ik zal het uitpluizen.'

Wat dus totaal NIET voldoende was. Dus toen we bij het museum aankwamen, besloot ik iets op de ClickChat-pagina van de speurtocht te zetten, om de Fembots publiekelijk voor aap te zetten.

## CLAUDIA

Het Met was afgeladen met toeristen en de rij voor de kaartverkoop was belachelijk lang.

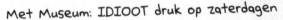
Met Museum: IDIOOT druk op zaterdagen

Gelukkig houdt Carmen van kunst, dus heeft ze een ledenpas voor het Met, en de rij voor mensen met een lidmaatschap bestond uit maar één persoon. Binnen een minuut liep Carmen met onze Kalvin de Kat de museumzaal in, om een foto te maken van een schilderij met een hond erin.

De rest van ons groepje bleef op een bankje in de hal zitten om op haar te wachten. Het werd direct al ongemakkelijk tussen mam en Jens. Mam begon met: 'Dus, wij hebben ons nog niet aan elkaar voorgesteld...' En toen zei ze gelijk: 'Jij zit nog maar net op de Culvertschool? Waar zat je eerst...?' En: 'NEDERLAND! Wat geweldig! Wat brengt je naar New York...?'

Jens is eigenlijk heel beleefd en kan goed met volwassenen omgaan, dus ik deed mijn best om hen te negeren terwijl ik de ClickChat-pagina van de speurtocht bekeek op mijn telefoon. Parvati had net bekendgemaakt dat de Fembots valsspeelden, en het begon er heftig aan toe te gaan:

**CLICKCHAT-BERICHTEN OP DE PAGINA VAN DE SPEURTOCHT VAN DE CULVERTSCHOOL**

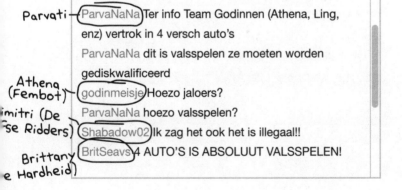

Parvati — (ParvaNaNa) Ter info Team Godinnen (Athena, Ling, enz) vertrok in 4 versch auto's

ParvaNaNa dit is valsspelen ze moeten worden gediskwalificeerd

Athena (Fembot) — (godinmeisje) Hoezo jaloers?

ParvaNaNa hoezo valsspelen?

imitri (De se Ridders) — (Shabadow02) Ik zag het ook het is illegaal!!

Brittany e Hardheid) — (BritSeavs) 4 AUTO'S IS ABSOLUUT VALSSPELEN!

Akash → (TsaarVanDeTocht) we zijn deze beschuldigingen aan
het uitzoeken

Meredith (Fembot) → (mdith_timms) heel goed huil maar uit bij je broer,
Parvati

TsaarVanDeTocht De Tsaar is eerlijk en onpartijdig en
trekt niemand voor. Zelfs geen bloedverwanten.

mdith_timms tuurlijk joh

TsaarVanDeTocht Onderdirecteur Bevan
heeft besloten dat Godinnen Genootschap
gediskwalificeerd is door het overtreden van
paragraaf 2 van de regels.

godinmeisje WAT???

mdith_timms ECHT NIET!

BritSeavs ECHT WEL!!!

## CLAUDIA

Toen we het bericht van Akash zagen over de
diskwalificatie van de Fembots, schreeuwden Parvati
en ik het zo hard uit, dat we niet alleen Jens en mam
de stuipen op het lijf joegen, maar ook een hele groep
Japanse toeristen.

Op dat moment kwam Carmen eraan lopen met de
foto die we nodig hadden.

hond

← Kalvin

**CARMEN**

Ik was direct naar de afdeling Vroegmodern
Europa gelopen, omdat honden toen HEEL ERG hip
waren. Zo van, als je een steen die expositieruimte
in zou gooien, zou je sowieso een schilderij met een
hond raken.

**CLAUDIA**

We gaven elkaar de hele tijd high fives terwijl we
de trap van het Met afliepen, en vervolgens gingen
we richting Central Park om nog wat voorwerpen te
scoren. Ik weet nog dat toen we de ingang naar het
park in liepen, ik bedacht dat het te mooi was om
waar te zijn dat de Fembots waren gediskwalificeerd.

Helaas zou ik daarin gelijk krijgen.

# HOOFDSTUK 11

# EEN CRONUT VAN DE ZWARTE MARKT

## CLAUDIA

Terwijl Team Hutspot bij het Met was, was Beestenploeg onderweg naar de cronut-bakkerij die helemaal in downtown New York zat.

## RIES

De hele rit naar SoHo zat pap voor in de taxi op de bijrijdersstoel op zijn telefoon e-mailtjes naar zijn werk te typen. Onderweg reden we langs de FAO Schwarz-speelgoedwinkel, en daar hebben ze een enorme vloerpiano, die je kunt bespelen door erop te springen.

Wij hadden zoiets van: 'Laten we stoppen en een video maken waarin we Beethoven op de vloerpiano spelen! Dat is tien punten waard!'

vloerpiano bij
FAO Schwarz

En pap zo van: 'Doen we later wel! Laten we eerst naar het zuiden van de stad gaan!'

En dat was ook wel prima, want we kwamen er toch niet uit hoe de Vijfde Symfonie van Beethoven ging.

Eerst had ik zoiets van: 'Ik weet het! Het is du-du-DA-du, du, DA-DU, du DA-DUUU.'

## WYATT

En wij allemaal zo van: 'Ries jonge, dat is het liedje van Darth Vader.'

Maar daardoor kreeg iedereen het Darth Vader-liedje in zijn hoofd. Dus telkens wanneer iemand Beethovens Vijfde probeerde te zingen, klonk het als Darth Vader.

## RIES

Toen Wyatt het juiste liedje op zijn telefoon had gegoogeld – het is eigenlijk du-du-du-DUUU – lag FAO Schwarz al dertig straten achter ons, dus was het sowieso al te laat.

Maar we scoorden wel 5 punten voor 'bonnetje van een taxirit van minstens 1,5 kilometer'.

```
MED#
DRIVER:
10/25/14 TR 1036
START  END MILES
10:18 10:35  4.3
REGULAR FARE
RATE 1:$   15.50
EXTRA: $    0.00
SURCH: $    0.00
STSRCH:$    0.50
TOTAL: $   16.00
    THANKS
 TO CONTACT TLC
   DIAL 3-1-1
```

ook wel bekend als
Dominique Ansel

Toen we bij de cronut-bakkerij aankwamen, leek het er even op dat we geluk hadden. Want toen we telden, bleken er maar zevenendertig mensen in de rij te staan.

cronut-wachtrij

## WYATT

Maar dat kwam blijkbaar doordat de cronuts al bijna op waren. En toen we in de rij gingen staan, zeiden de mensen die voor ons stonden allemaal: 'Zijn jullie gek? Wij staan hier al uren! En zelfs WIJ krijgen waarschijnlijk geen cronuts meer!'

**RIES**

En pap zo van: 'Ach, nou ja! Laten we dan gewoon een foto nemen van het Charging Bull-standbeeld op Wall Street!'

Dat iets van één straat bij paps kantoor vandaan staat.

Maar daar dacht ik niet aan. Ik zei iets van: 'Pap, dat standbeeld is maar drie punten waard! Een cronut is DERTIG waard!'

Toen begonnen we hem alle vier te smeken om in de rij te blijven en het toch te proberen.

Dus pap zo van: 'Ik ga het even uitzoeken.' Hij liep naar het voorste gedeelte van de winkel om de situatie daar te checken. Wij bleven met z'n allen achter in de rij staan, die de hoek omging en helemaal tot het einde van het blok stond.

Wyatt pakte zijn telefoon erbij om de ClickChat-pagina van de speurtocht te bekijken. Er was iets raars aan de hand met het team van Athena Cohen, dus we begonnen de berichtjes te lezen.

**WYATT**

En toen werd onze Kalvin overreden door een vrachtwagen.

**JAMES**

Dat was Xanders schuld.

Xanders bijnaam voor James zou 'J-Ma' of 'J-Man' moeten zijn, maar Xander is idioot ↓

**XANDER**

Echt niet, jonge! Dat kwam COMPLEET door J-Mo. Ik deedz alleen maar een paar mepjez met Kalvin op z'n hoofd.

J-Mo jatte dat ding uit m'n klauwen en keilde hem op straat net toen die wagen voorbijreed.

**WYATT**

Ik hoorde letterlijk een plofje toen zijn kop uit elkaar spatte. Dat vrachtwagenwiel had hem PRECIES geraakt.

Maar het goeie was dat de vulling nog heel zompig was van de koffie, dus die waaide niet weg. Die sijpelde er een beetje uit.

Kalvin van Beestenploeg
(na overrijden)

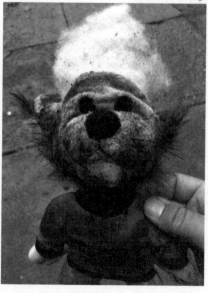

**RIES**

James zei zo van: 'Achteruit allemaal! Ik ben een arts!' En hij probeerde de vulling terug in het hoofd van Kalvin te proppen. Maar er was geen manier om hem dicht te maken.

Wyatt en ik wilden wat tape gaan kopen voor het hoofd, maar toen kwam pap weer terug.

En hij zei zo van: 'Ik heb slechts nieuws... en ik heb goed nieuws.'

Het slechte nieuws was dat de bakkerij geen cronuts meer had.

Het goede nieuws was dat pap een man had gevonden die net een cronut had gekocht, en die hem wilde doorverkopen aan ons.

Maar hij wilde er een BELACHELIJK hoog bedrag voor hebben. Pap wilde ons niet vertellen hoeveel.

**WYATT**

Ik had zoiets van: 'Is het meer dan vijftig dollar?'
En jouw vader zo van: 'Ja.'
En ik zo van: 'Is het meer dan honderd?'
En hij zo van: 'Geen commentaar.'

**RIES**

Pap zei met zo'n heel lage stem: 'Laten we het als volgt doen, jongens: ik ben bereid om die cronut voor jullie te kopen. MAAR... daar staat tegenover... dat jullie mij een HEEL grote dienst moeten bewijzen.'

Voordat hij ons kon vertellen wat die dienst inhield, kwam er een gast met een ringbaardje op hem aflopen met een klein, geel doosje van de bakkerij in zijn handen.

klein,
geel
doosje

En hij zo van: 'Hé makker, gaan we dit nog doen? Want anders ga ik mijn cronut opeten.'

En pap keek ons aan en zei zo van: 'Jongens, hebben we een afspraak? Ik bezorg jullie die cronut, jullie bewijzen mij een dienst?'

**XANDER**

Ik zo: 'La ma komen, babylicious!'

**WYATT**

Ik was een klein beetje bezorgd. Niet vanwege het geld of de dienst die we moesten bewijzen, maar omdat de gast die de cronut verkocht er nogal onbetrouwbaar uitzag.

En toen riep James naar hem: 'HOEVEEL VRAAG JE VOOR EEN HUURMOORD?'

**JAMES**

Ik bedoel, iedereen die zwarte-markt-cronuts verkoopt, doet waarschijnlijk nog VEEL meer illegale dingen. Zoals huurmoorden.

En ik heb een paar heel machtige vijanden die ik wel omgelegd zou willen zien.

**CLAUDIA**

Nee, echt? Wie dan?

**JAMES**

Dat zal ik nooit vertellen. Want stel dat het gebeurt, dan moeten mijn vingerafdrukken niet te vinden zijn.

**RIES**

Dus Xander pakte James vast in een wurggreep om hem lang genoeg de mond te snoeren, zodat pap de gast met de ringbaard een belachelijk hoog bedrag kon betalen. De man overhandigde het doosje, en we gingen op een bankje in een parkje naast de bakkerij zitten om het doosje open te maken.

Ik was best nieuwsgierig, want tot die ochtend had ik zelfs nog nooit van een cronut gehoord.

Het was eigenlijk een soort van chique, iets hoekige donut met paars glazuur.

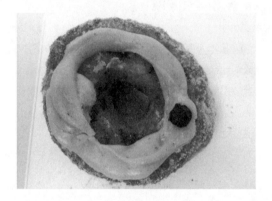

En toen zei Xander zo van: 'Yo gastz, da's niks geen cronut!'

**XANDER**

Enige dat ik weetz, is dat de laatste keer dat ik een cronut had? Die brute kerel was van chocola. En dit was ietz paars-fruitig-achtigs.

**RIES**

Pap zo van: 'Alsjeblieft, zeg me dat het NIET waar is dat ik net een imitatie-cronut heb gekocht.'

En Wyatt zo van: 'O ja, het kan zomaar een totale nepperd zijn!'

## WYATT

Er zat wel wat in. Ik bedoel, in de Chinese wijk kun je een Rolexhorloge voor twintig piek kopen. Maar dan heb je geen echte Rolex.

En een keertje heeft mijn moeder zo'n Louis Vuittontas voor $ 40 van een gast op straat gekocht. Alleen was het een totale nepperd, en hij viel binnen drie dagen al uit elkaar.

Mam wil eigenlijk niet ik dat verhaal aan mensen vertel. Maar het is wel waar.

## RIES

Toen Wyatt en Xander hem vertelden dat hij biljoenen dollars had uitgegeven aan een neppe cronut, trok pap nogal wit weg, en hij zag eruit alsof hij een hartaanval kreeg.

Toen nam hij een foto van de cronut en sms'te die aan mam.

## MAM EN PAP (sms'jes)

Ziet dit eruit als een echte cronut?

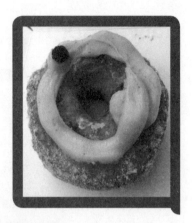

Ik weet niet eens wat een cronut is

H bang dat ik net een neppe heb gekocht

Ik heb VEEL grotere problemen. Heb je de ClickChat-pagina gezien?

**RIES**

Uiteindelijk besloot pap dat, ook al was de cronut dan nep, het doosje er alsnog echt uitzag. Dus we zouden hem gewoon moeten inleveren en proberen om onze dertig punten te krijgen.

Toen zei pap zo van: 'Goed, die dienst die jullie me zouden bewijzen...'

En daarmee begon alle ellende.

# HOOFDSTUK 12

## ZOMBIE-ADVOCATEN-FEMBOTS

HERSEEENS!!

CLAUDIA

Terwijl het hoofd van Kalvin de Kat van Beestenploeg in SoHo aan het ontploffen was, deed mijn hoofd dat ook.

Niet letterlijk. Maar wel bijna letterlijk.

Laat me nog even teruggaan. Toen we bij het museum waren geweest, ging Team Hutspot op weg naar het boothuis in Central Park om een gondel te huren, om 7 punten te scoren voor 'foto van de Bethesda-fontein gemaakt vanuit het midden van de gondelvaart'.

Maar de wachtrij was GESTOORD lang.

WACHTRIJ VOOR GONDELVERHUUR

2. RIJ MAAKT HIER EEN SCHERPE BOCHT...

3. RIJ EINDIGT HELEMAAL DAAR BIJ BOOTHUIS (NIET IN BEELD)

1. RIJ BEGINT HIER...

## CARMEN

Ik had er geen idee van dat gondels zo hip waren.
Die wachtrij was MINSTENS een uur lang. Ik bedoel,
we hadden absoluut geen tijd om in die rij te gaan
staan.

Maar toen kwam Parvati met een briljant idee.

## PARVATI

Er stond niet op de lijst dat je een gondel moest
huren. Er stond alleen 'neem een foto vanuit de
gondelvaart'.

Dus ik had zoiets van: 'Hállo! Laten we gewoon het
water in gaan en die foto nemen!'

## CARMEN

En ik zo van: 'DAT is walgelijk.' Want het water in
die vaargeul is groen. En niet gezond-natuurlijk-
groen. Meer iets van ongeneeslijke-ziektes-groen.
Daar ging ik sowieso niet in staan.

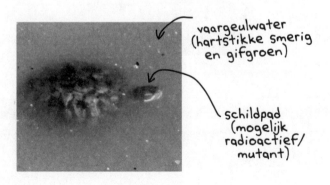

vaargeulwater
(hartstikke smerig
en gifgroen)

schildpad
(mogelijk
radioactief/
mutant)

**PARVATI**

En ik zo van: 'Hállo! Daarom hebben we toch een jongen in ons team! Om de gore dingen te doen!'

**JENS**

Parvati vroeg of ik het water in wilde gaan. Maar ik zei nee. Want niet goed voor mijn schoenen.

**PARVATI**

Ik zo van: 'Meen je dat nou? DOE JE SCHOENEN UIT EN ROL JE BROEKSPIJPEN OP!'

**JENS**

Ik had geen goede broek aan om op te rollen. Hoe noem je zoiets? 'Skinny jeans'? Erg moeilijk om op te rollen.

Jens' broek (h. stijlvol, maar sws niet goed om op te rollen)

**PARVATI**

Ik kon serieus niet geloven hoe nutteloos Jens was. Dus ik zo van: 'Oké dan. Tuurlijk joh. Ik ga er wel in.'

## CLAUDIA

Parvati rende op de vaargeul af, trok haar schoenen uit, rolde haar broekspijpen op, en liep het water in met Kalvin in de ene hand en haar telefoon in de andere.

## PARVATI

Trouwens, wat ik NIET had verwacht? Modder. De bodem van die geul is EEN EN AL drab.

En jouw moeder zo van: 'Parvati, dit is GEEN goed idee.'

En toen zei ze zo van: 'POLITIE KOMT ERAAN!'

## CLAUDIA

Het was maar een parkopzichter. Maar dan nog. Hij wees naar Parvati en schreeuwde: 'HÉ! KOM DAAR EENS UIT!'

Carmen en ik riepen: 'MAAK DE FOTO!' En Parvati raakte in paniek en viel bijna op haar kont.

## PARVATI

Ik kreeg het hartstikke benauwd. Ik had echt zoiets van: 'OMG, ik ga mijn telefoon NAAR DE KNOPPEN helpen. PLUS mijn hele outfit.' Maar dat deed ik niet. En ik nam de foto!

Bethesda-fontein

hier
stonden wij
(schreeuwend)

park-
opzicht
stond h
(ook
schreeuw

walgelijk
vaargeulwater

Parvati stond hier
(in het vaargeulwater)

## CLAUDIA

Ik was hartstikke trots op Parvati. En nadat zij
en mijn moeder hun excuses hadden aangeboden
aan de parkopzichter, liet hij haar gaan met een
waarschuwing.

Maar eigenlijk, als ik eerlijk ben, denk ik dat parkopzichters alleen maar waarschuwingen mogen geven.

**PARVATI**

Toen ik aan mijn ouders vertelde dat ik in de gondelvaargeul had gestaan, moest ik een tetanusprik van ze gaan halen.

Maar dat was het HELEMAAL waard, weet je.

**CLAUDIA**

Dat Parvati die foto heeft genomen was het hoogtepunt van de ochtend. Want vlak daarna begon alles bergafwaarts te gaan.

Ten eerste kostte het een eeuwigheid (en ongeveer 1000 hotdogservetjes) om de modder van haar voeten te krijgen. Toen gingen we naar Strawberry Fields – dat is een gedenkplaats ter ere van John Lennon van The Beatles, die de op-een-na beste songwriters in de geschiedenis zijn, na Miranda Fleet – en namen een foto voor 3 punten.

Toen kregen we een half-grote discussie in Strawberry Fields over waar we vervolgens naartoe zouden gaan. We waren zo luidruchtig dat een hippie met een akoestische gitaar op een gegeven moment stopte met 'Yesterday' spelen en zei: 'Sssst! Dit is een heilige plek!'

Kalvin de Kat

memobriefje
in de vorm van
papieren vliegtuigje,
achtergelaten door
toerist (en/of enorme
John Lennon-fan)

Wat BELACHELIJK was. 'Yesterday' is niet eens
een liedje van John Lennon. Iedereen weet dat Paul
McCartney het heeft geschreven.

Uiteindelijk besloten we in oostelijke richting
te vertrekken, om langs Dylans Snoepwinkel
en Bloomingdale's te gaan. Maar dat bleek een
eeuwigheid te duren.

Ten eerste moesten we helemaal terug door het
park, naar Fifth Avenue. Toen konden we geen taxi
krijgen.

Dus we moesten zo'n beetje de hele weg rennen,

waardoor iedereen bezweet raakte en boos werd.

En ik denk dat Jens een blaar kreeg.

### JENS

Mijn schoenen waren heel erg verkeerd voor rennen. En mijn sokken waren ook niet goed.

(maar heel erg schattig)

**CLAUDIA**

Omdat we de hele tijd aan het rennen waren, stopte niemand om de ClickChat-pagina van de speurtocht te checken.

Dus we schrokken ons kapot toen we Ling de Fembot uit Dylans Snoepwinkel zagen komen, met een gigantische boodschappentas die eruitzag alsof hij tien kilo woog.

**PARVATI**

Ik zo van: 'Ling? Hállo? Je bent gediskwalificeerd!'

**CARMEN**

Ling haalde haar neus op en zei: 'Mocht je willen!'

Toen deed ze dat misselijkmakende haar-zwaaiding, en ik zweer je dat ze daar nog eens een whiplash aan overhoudt. Tenminste, dat hoop ik.

Toen hield haar chauffeur of zo de deur voor haar open en ze stapte achter in de auto. En toen ze wegreed riep ze: 'Veel succes met de jellybeans!'

**CLAUDIA**

Ik weet nog dat ik dacht: a) wat bedoelt ze nou weer met jellybeans? En b) waarom haalt ze nog spullen op terwijl ze gediskwalificeerd is?

Dus we pakten allemaal onze telefoon erbij en checkten de ClickChat-pagina.

## CLICKCHAT-BERICHTEN OP DE PAGINA VAN DE SPEURTOCHT VAN DE CULVERTSCHOOL

*Athena's moeder*

**godinmeisje** Dit is de moeder van Athena Cohen en de begeleider van Het Godinnen Genootschap. Uw besluit om ons team te diskwalificeren op grond van paragraaf 2 is ongegrond en moet onmiddellijk teniet worden gedaan.

*kash* **TsaarVanDeTocht** Ehm… Sorry. Maar nee.

*sha (De _issies)* **tasha_sez** Is 500 pt voor Deondra-foto echt

**TsaarVanDeTocht** DEONDRA-FOTO IS EEN GRAP. Niet meer vragen, mensen

**godinmeisje** In paragraaf 2 van het regelformulier staat dat 'teamgenoten bij elkaar DIENEN te blijven tijdens de tocht.' Er staat NIET 'MOETEN bij elkaar blijven.' Krachtens deze woordkeus is het klaarblijkelijk niet verplicht om bij elkaar te blijven, en moet u ons weer toelaten.

**TsaarVanDeTocht** Het is WEL verplicht. Teams moeten bij elkaar blijven.

**godinmeisje** Dat is niet wat er in de regels staat.

**TsaarVanDeTocht** Jawel.

**godinmeisje** Nee, niet. Ik ben een aan Harvard afgestudeerde advocaat, en ik kan u verzekeren dat mijn interpretatie correct is. Laat ons onmiddellijk weer toe.

*unter oderz)* **nachtbraker** wauw dit is gestoord

**TsaarVanDeTocht** De regel is duidelijk. Teams moeten bij elkaar blijven.

**godinmeisje** Nee. Uw regel stelt slechts dat ze bij elkaar DIENEN te blijven. Ter vergelijking, par. 3 stelt dat 'Elk team constant onder toezicht van een begeleider MOET staan.'

Dit wijst op een cruciaal onderscheid: 'moet' is gedwongen, 'dient' is wenselijk, maar NIET gedwongen. Derhalve kan Het Godinnen Genootschap niet gediskwalificeerd worden.

TsaarVanDeTocht Dat is wel heel muggenzifterig.

godinmeisje Toch is het correct. Laat ons nu weer toe.

TsaarVanDeTocht Kan ik niet. Juf Bevan heeft jullie gediskwalificeerd.

godinmeisje IK BEN EEN AAN HARVARD AFGESTUDEERDE ADVOCAAT. Als u Het Godinnen Genootschap niet toelaat, zal ik dit besluit aanvechten met alle juridische middelen, wat tot ernstige consequenties zal leiden voor zowel de Culvertschool als de organisatoren van de speurtocht, inclusief uzelf.

TsaarVanDeHunt Zegt u nou dat u mij gaat aanklagen?

godinmeisje Ja. En ik zal een aanzienlijke schadevergoeding eisen.

nachtbraker OOO JAAA **** SERIEUZE SHIT DIT

TsaarVanDeTocht Dit is mevrouw Bevan via Akash' account. Mevrouw Cohen, is er een telefoonnummer waarop u te bereiken bent?

godinmeisje 917-~~████~~

*(handwritten margin note: Josh (Stinkadem))* J_KOPP dit is krankzinnig!

nachtbraker ikr? geef de popcorn ff door wil je

*(handwritten margin note: Daniella R. (De Hardheid))* daniR weet iemand waar we Deondra kunnen vinden

J_KOPP Deondra was een grapje duh. Nep

daniR Jamer ik wil haar ontmoeten

J_KOPP ja echt he succes daarmee

TsaarVanDeTocht OPMERKING AAN ALLE TEAMS: BIJ ELKAAR BLIJVEN IS *NIET* STRIKT NOODZAKELIJK VOLGENS DE REGELS. HET WORDT ECHTER WEL STERK

AANGERADEN OMWILLE VAN DE VEILIGHEID. BLIJF AUB DE
GEHELE TIJD BIJ ELKAAR INDIEN MOGELIJK.

TsaarVanDeTocht **En dan nog dit: Het Godinnen Genootschap
is weer toegelaten. De organisatoren bieden hun welgemeende
excuses aan voor eventuele verwarring.**

MEMO: hoofd ontplofte hier

## CLAUDIA

Toen ontplofte mijn hoofd.

En daarna werd het nog erger. Want toen we de
kelder van Dylans Snoepwinkel in liepen om drie
jellybeans met boterpopcornsmaak (vier punten) te
halen, vonden we dit:               ↙ LEEG!!!!

Opeens werd het feit dat Ling een gigantische (en
superzware) tas droeg toen ze de deur uit kwam

lopen, me volkomen (en kwaadaardig) duidelijk.

Ze had ALLE jellybeans met boterpopcornsmaak gekocht.

Dus nu had Athena's 'aan Harvard afgestudeerde advocaat'-moeder niet alleen de Fembots als zombies uit de dood laten herrijzen, maar gingen ze ook nog eens iedereen saboteren.

En ik stond bijna op het punt om in een grote ruzie te belanden met mam, midden op de meubelafdeling van Bloomingdale's.

# HOOFDSTUK 13

## MIJN VADER MAAKT EEN SERIEUZE INSCHATTINGSFOUT

goed besluit

fout besluit

RIES

De dienst die we aan pap moesten bewijzen voor het kopen van de cronut, bleek te bestaan uit met hem mee naar kantoor gaan zodat hij kon werken.

Hij zei zo van: 'Ik hoef alleen maar even een brandje te blussen. Tien minuutjes. En we hebben gratis snacks! Wat denken jullie ervan?'

We gingen hartstikke hard tekeer tegen hem. Want nu we die cronut van 30 punten hadden, dachten we dat we voorstonden – en we wilden VOOR GEEN GOUD onze voorsprong kwijtraken door tijd te verdoen in paps kantoor.

Toen pap zich realiseerde dat we echt niet gingen, zei hij: 'Laat me die lijst nog eens zien.'

Hij keek er een ogenblik naar. Toen zei hij van: 'Oké, wat nou als...' ← serieuze inschattingsfout begint hier

Toen stopte hij en kauwde even op zijn lip, alsof hij heel gestrest was.

Toen zei hij van: 'Ik ga jullie een voorstel doen... maar jullie moeten me beloven dat je dit NOOIT AAN IEMAND VERTELT...'

En James riep: 'KINDERLOKKER!' Dus Xander moest hem weer in de wurggreep nemen om hem stil te krijgen.

**JAMES**

Ik herken een poging tot kidnapping direct.

**RIES**

In principe stelde pap voor om ons bij de veerboot naar Staten Island af te zetten, dan zou hij naar kantoor gaan terwijl wij de veerboot namen om de foto van het Vrijheidsbeeld te maken – die was tien punten waard – om ons daarna weer te ontmoeten bij het Charging Bull-standbeeld op Wall Street.

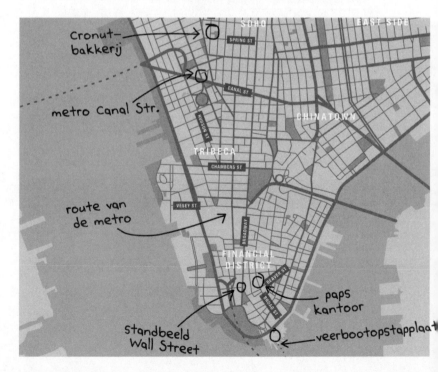

Dat was drie punten waard en stond precies tussen de veerbootopstapplaats en paps kantoor in.

We wisten dat je zonder begeleider gediskwalificeerd kon worden. Maar we dachten dat als het alleen maar om het veerboottochtje ging, we toch niet gepakt konden worden.

Bovendien kregen we allemaal twintig dollar van pap zodat we onze mond zouden houden.

## CLAUDIA

Als je dit leest en je denkt: dit balanceert op het randje van de ethiek, en Claudia's vader geeft hiermee blijk van een erg slecht inschattingsvermogen, ben ik het zonder meer met je eens.

## RIES

We konden geen MPV-taxi vinden die ons naar het zuiden van de stad wilde brengen, dus we moesten de metro nemen vanaf Canal Street. Toen we beneden op het perron kwamen, gaf het scherm met vertrektijden aan dat de metro naar station South Ferry over 4 minuten zou vertrekken.

Wat PRECIES genoeg tijd was voor onze Kalvin
de Kat om op het spoor te vallen en geschpletst te
worden door een metro. → G.B.W.

Op wie zijn schuld het was wil ik verder niet ingaan.
Maar het was sowieso niet mijn, paps, of Wyatts schuld.

## XANDER

Geen bloed aan mijn handen, yo. Allez wat ik
deed was da kat in J-Mo's shirt proppen. En mezelf
verdedigen toen hij hem in MIJN shirt wilde proppen.

Als J-Mo mij niet had aangevallen met die viezerik
had ik da kat niet van dat perron hoeven keilen.

## JAMES

Mijn theorie: de kat had een doodswens.

Ik weet niet waarom. Het is niet zo dat ik je kan
vertellen wat er in zijn hoofd omging. Of wat er niet
in omging, want hij had veel vulling verloren toen hij
werd aangereden door die vrachtwagen.

Maar het lijkt me nogal duidelijk dat de kat dood
wilde.

Daarnaast: hij had GEEN negen levens. Hij had er
misschien drie. Hooguit.

## RIES

Toen de metro de kat raakte flipten we helemaal.
Want zonder de kat konden we geen foto's nemen!

Dus we wisten dat we hem terug moesten krijgen. Alleen, als er iets op het spoor valt, kun je het ABSOLUUT BESLIST niet zelf oprapen. Dat is megagevaarlijk, en als je het probeert kun je supermakkelijk doodgaan.

Tenminste, dat is wat pap tegen Xander schreeuwde, die het bijna had geprobeerd. Echt, harder dan ik pap ooit in zijn leven heb horen schreeuwen.

Maar het bleek dat veel metrostations een spoorwachter hebben. En als je zo'n man vindt, kan hij iemand bellen die de metro's kan laten wachten met binnenrijden, terwijl er een andere man aan komt met een raar uitziend stel rubberen tongen, die hij gebruikt om je Kalvin van het spoor af te halen.

Of in dit geval, beide stukken Kalvin. Want de metrowielen hadden hem doormidden gespleten.

Kalvin
(hoofd)

metrospoor
(erg gevaarlijk)

Kalvin
(niet het hoofd)

metroperron
(erg smerig)

We ontdekten ook dat als je een spoorwachter de metro's laat stoppen omdat je iets superbelangrijks op het spoor hebt laten vallen, en hij erachter komt dat het superbelangrijke ding een knuffelbeest is, hij HEEL, HEEL ERG boos wordt en je vader uitscheldt. Zowel in het Engels als in het Spaans.

Maar dan heb je wel de delen van je knuffelbeest terug.

Lang verhaal kort: twintig minuten later stonden we buiten, bij de veerboot naar Staten Island.

veerboot naar Staten Island

Pap liet zien in welke straat het Charging Bull-standbeeld stond, en hij zei zo van: 'Sms maar als jullie halverwege de terugweg zijn op de veerboot, en dan zie ik jullie bij het standbeeld.'

**WYATT**

En ik zo van: 'Wacht, hoe vaak varen die veerboten?'

En je vader zo van: 'Elk halfuur.'

Toen maakten we een snel rekensommetje en kwamen we erop uit dat het MINSTENS een uur zou kosten om die ene foto te nemen.

**XANDER**

Ik zo van: 'Duurt te lang, yo. We moeten opsplitsen!'

En ik zag Grote Tepper op 't punt staan daar KEIHARD tegenin te gaan, maar toen werd ie op z'n mobiel gebeld door zo'n gazt van kantoor.

**RIES**

Pap zo van: 'Jullie MOETEN me beloven bij elkaar te blijven.' ⟵——— G.B.W.

Wat gestrifd was, omdat we er net via ClickChat achter waren gekomen dat bij elkaar blijven niet eens meer een regel was.

Maar voordat we met hem in discussie konden gaan, kreeg hij een telefoontje van zijn baas. En hij maakte zo'n ik-hou-mijn-vinger-in-de-lucht-wat-betekent-dat-dit-superbelangrijk-is-en-nu-stil-zijn-gebaar.

Dus wij zo van: 'Eh... DOEI!' en we renden de veerbootopstapplaats in voordat pap kon ophangen.

Ik denk dat we gewoon het idee hadden om maar een klein poosje op te splitsen. En zoveel zou dat ook niet uitmaken, omdat we dan veel meer dingen konden opzoeken en alsnog genoeg tijd zouden hebben om weer naar pap te gaan. Dus in plaats van wachten tot hij zou ophangen en een grote discussie met hem aangaan, was het beter om gewoon bij hem weg te rennen.

Dus dat was een foutje van ons.

# HOOFDSTUK 13½

# MIJN VADER WIL DAT JE WEET DAT HIJ GEEN AFGRIJSELIJK PERSOON IS

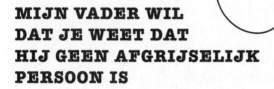

CLAUDIA

Normaal gesproken hou ik geen interviews met mam en pap wanneer ik een gesproken geschiedenis maak zoals deze, want ik ben ervan overtuigd dat hun sms'jes al genoeg zeggen.

Maar in dit geval maak ik een uitzondering.

Vooral omdat pap me smeekte om hem zijn kant van het verhaal te laten vertellen. en me ook bedreigde (met intrekken van laptop/iPad toestemming)

PAP (ook wel bekend als Eric Tepper, ook wel bekend als mannelijke ouder van Claudia en Ries)

Hé, kleintje.

CLAUDIA

Hoi, pap.

PAP

Ten eerste ben ik zeer dankbaar voor de kans die ik krijg om...

**CLAUDIA**

Gewoon de feiten noemen, pap. Effe snel.

**PAP**

Oké. Komt ie.

Dus, eh... Je weet dat papa heel veel van jou en je broer houdt, toch? En dat jullie veiligheid enorm belangrijk voor hem is, en dat hij nooit iets zou doen wat een van jullie beiden in gevaar zou brengen, behalve in extreem ongewone situaties. Toch?

**CLAUDIA**

O, ja hoor.

**PAP**

En je weet ook dat het HEEL duur is om in New York te wonen. Toch? En het wordt NOG duurder als je op een school als de Culvertschool zit. En pap en mam moeten ENORM HARD werken om genoeg geld te verdienen om dat allemaal te bekostigen. Dat weet je, toch?

**CLAUDIA**

Wat wil je hier nou mee zeggen, pap?

**PAP**

Papa heeft een heel uitdagende baan. Bij een heel

groot advocatenbureau. Zijn directe baas is een... nou
ja, kort gezegd: hij is kwaadaardig.

kwaadaardige baas
(vond foto op website van advocatenbureau)

hooivork
(NIET
gevonden op
website van
advocaten-
bureau)

staart

Dus papa heeft een kwaadaardige baas. En papa's
kwaadaardige baas...

## CLAUDIA

Kun je stoppen met over jezelf te praten in de derde
persoon? Da's raar.

## PAP

Je hebt gelijk. Het spijt me. Ik weet niet waarom ik
dat deed.

**CLAUDIA**

Ik weet het ook niet. Het is nogal zelfingenomen.

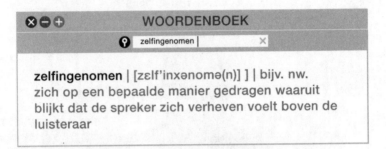

**PAP**

Goed zo, je gebruikt 'zelfingenomen' op de juiste manier.

**CLAUDIA**

Dank je. Ik lees veel.

**PAP**

Weet ik. Je bent een geweldig kind.

**CLAUDIA**

We raken een beetje op een zijspoor zo.

**PAP**

Klopt. Waar waren we?

**CLAUDIA**

Kwaadaardige baas.

**PAP**

O ja. Dus ik werk voor een man die je nou niet bepaald barmhartig kunt noemen. Die geen respect heeft voor een gezonde balans tussen werk en privéleven, die niet weet wat er als ouder van je wordt geëist...

**CLAUDIA**

We snappen het wel. Hij is kwaadaardig. En verder?

**PAP**

Oké, dus... op de ochtend van de speurtocht was er een fusie gaande tussen twee heel grote bedrijven. En papa's advocatenbureau – sorry, MIJN advocatenbureau – vertegenwoordigde een van die bedrijven. En er was enige onzekerheid over de fiscale gevolgen van de fusie.

En dus zei papa's – sorry, MIJN – kwaadaardige baas iets als: 'Als je nu niet DIRECT naar kantoor komt om dit op te lossen, zal je baan niet meer bestaan en heb je geen geld meer voor eten. Of schoolgeld voor een privéschool.'

NOG
belachelijker
(pap wil niet
vertellen hoe
duur)

↖ BELACHELIJK
duur in NYC
(tosti in
lunchroom kost
al $ 6,95)

<< 121 >>

Dus ik had geen keus. Ik MOEST naar kantoor. Of ik zou mijn baan verliezen.

**CLAUDIA**

Dat snap ik helemaal. En ikzelf zou jouw baan NIET willen verliezen.

Maar waarom loog je erover tegen mam?

**PAP**

Oké, dat eh...

Dat was... eh... Ik eh...

Dat was een inschattingsfout.

Ja. Grote fout. Absoluut een vergissing.

**CLAUDIA**

Dat vindt mam ook.

**PAP**

Weet ik. We hebben het erover gehad. Best veel over gehad, eigenlijk.

heel erg waar (mam vindt
het moeilijk om dit van
zich af te zetten)

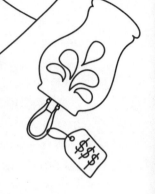

# HOOFDSTUK 14

# MAM EN IK KRIJGEN VRESELIJKE RUZIE OP DE MEUBELAFDELING VAN BLOOMINGDALE'S

## CLAUDIA

Eigenlijk begon mijn grote ruzie met mam al toen we Third Avenue overstaken om van Dylans Snoepwinkel naar Bloomingdale's te gaan. Dat is een geweldig, maar belachelijk duur warenhuis – eerlijk gezegd wist ik niet hoe belachelijk duur het kon worden tot ik 'foto van een prijskaartje van een voorwerp dat duurder is dan $ 100.000 bij Bloomingdale's (8 punten)' op de lijst zag staan.

BLOOMINGDALE'S (ook wel Bloomie's genoemd)

De ruzie ging over het opsplitsen van Team Hutspot. Nu de Fembots en hun vloot van limo's weer in de running zaten, werd het wel duidelijk dat we ze sowieso niet zouden verslaan, tenzij we in MINSTENS twee verschillende richtingen uiteen zouden gaan.

Het werd nog duidelijker toen we Kalisha Hendricks tegenkwamen bij de damesparfumafdeling. Ze kwam gehaast de lift uit lopen.

**CARMEN**

Kalisha zag ons met z'n allen bij elkaar en zei: 'Jullie weten toch dat je mag opsplitsen nu?'

Door de manier waarop ze het zei kon je horen wat ze dacht: en als jullie NIET opsplitsen, ben je DE SJAAK.

Achteraf denk ik dat ze sowieso al vond dat wij de sjaak waren. Want Kalisha is hartstikke competitief – dus als ze ons als bedreiging had gezien, had ze ons nooit die jellybeans gegeven.

ook heel slim
↗ (en competitief) persoon
**KALISHA, teamgenoot van de Avada Kedavra's**

Ik had wat over, omdat die dispenser van de jellybeans met boterpopcornsmaak doorsloeg en twintig stuks in mijn zakje dumpte.

En toen je mij vertelde dat Ling ze allemaal had

opgekocht, stond ik erop de mijne te delen. Want zoiets doe je gewoon niet.

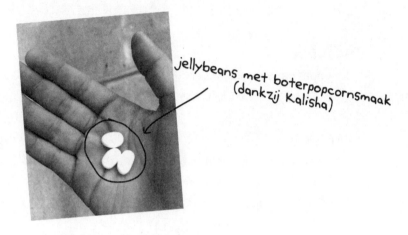

jellybeans met boterpopcornsmaak (dankzij Kalisha)

## PARVATI

Mag ik nog even zeggen dat Kalisha toen hartstikke cool was en de aardigste persoon ter wereld? EN ze vertelde ons waar we het voorwerp in Bloomie's konden vinden.

## CLAUDIA

Vlak voordat ze wegrende, draaide Kalisha zich nog om naar ons en zei: 'O ja, dat voorwerp dat je hier zoekt? Vierde verdieping.'

Maar zoals Carmen al zei: Kalisha is hartstikke competitief. Dus ik was nogal sceptisch.

**PARVATI**

'Nogal sceptisch'? Sorry hoor, maar jij schreeuwde uit: 'HET IS EEN VAL! ZE WIL ONS ERIN LUIZEN!'

**CLAUDIA**

Ik schreeuwde dat NIET uit. Ik wees jullie heel kalm op een erg voor de hand liggende mogelijkheid.

**CARMEN**

Sorry hoor, maar je was NIET kalm. Je wilde niet eens de lift in. Ik ging zo van: 'Ja hoor, tuurlijk Claudia, en de jellybeans zijn WAARSCHIJNLIJK VERGIFTIGD.' (sarcastisch)

**PARVATI**

Kalisha is ZO baas. We waren ZO WAANZINNIG goed geweest als zij in ons team had gezeten.

**CLAUDIA**

NIET zo beginnen nu. En trouwens, die opmerking over Kalisha's schoenen was hartstikke ongepast. En heel gemeen tegenover Jens.

**PARVATI**

Ik merkte alleen maar op dat Kalisha hardloopschoenen droeg. Waardoor ze GEEN blaren kreeg. En Jens had helemaal niet door dat ik hem zat te dissen. Want hij kan toch geen Engels.

**CLAUDIA**

Daar ga ik niet eens op in.

Dus we gingen naar de vierde verdieping
en begonnen de prijskaartjes van banken en
kledingkasten te bekijken. Die zaten allemaal in de
prijsklasse van rond de $ 10.000 – dus achterlijk duur,
maar lang niet duur genoeg.

**4 VIERDE VERDIEPING** | MODE VOOR HAAR
MODE VOOR THUIS

JURKEN
ZWEMKLEDING
MEUBELS
MATRASSEN
TAPIJTEN
ZAKELIJKE DIENSTVERLENING

*Bloomie's 4e verdieping
(geen idee wat 'zakelijke
dienstverlening' is)*

En toen begon mijn ruzie met mam pas echt. Want
hoewel het duidelijk was dat we SOWIESO MOESTEN
OPSPLITSEN, bleef mam maar volhouden dat ze geen
toestemming had van de ouders van Carmen, Parvati
en Jens om ze 'in hun eentje door de stad te laten
zwerven'.

Wat heel irritant was, want a) ze zouden niet
aan het 'zwerven' zijn, maar aan het RENNEN

(afhankelijk van hun schoenen); en b) niemand zou alleen zijn, omdat we ons slechts konden opsplitsen naar het aantal Kalvins dat we hadden. En we konden maar één extra Kalvin meenemen.

## CARMEN

Ik had de mijne nog van de kleuterschool. Vorig jaar had ik hem bijna weggegooid, maar mijn moeder had zoiets van: 'Dat is een aandenken!'

Ik vond dat ze nogal overdreef, maar het bleek toch handig te zijn.

## CLAUDIA

Voor het grootste gedeelte speelde de ruzie tussen mij en mam, want ook al stonden Parvati en Carmen aan mijn kant, je kunt niet ruziën met iemand anders moeder. Dat is een soort van ongeschreven regel.

En Jens hield zich zo'n beetje op de achtergrond en deed alsof hij niet bij ons hoorde, want hij voelt zich niet op zijn gemak in conflictsituaties.

Af en toe pauzeerde mam de ruzie even om pap te sms'en, om te vragen wat hij ervan vond. Wat eigenlijk, als je nagaat dat hij net Ries' team had verlaten om ze in hun eentje door de stad te laten zwerven, compleet gestoord was.

Maar dat wist mam niet.

## MAM EN PAP (sms'jes)

Heb je ClickChat-pagina gezien?

Nee

Blijkbaar mogen teams opsplitsen. Claudia wil dat. Ik denk slecht idee wnt niet veilig voor kids om alleen rond te zwerven in stad zndr ouders

Waarschijnlijk geen slecht idee

Jij laat je team toch niet opsplitsen?

Nee ze zijn bij elkaar

Ik moet sws nee tegen Claudia zeggen, toch?

Wat jij wilt

Maar hele idee van begeleiden is veiligheid van kinderen. Toch?

Denk 't

Claudia woedend. H stressvol. Vertel me dat het het oké is om voet bij stuk te houden en kinderen bij elkaar te houden al is het slecht voor team

Serieus, wat moet ik doen? Voel me slechte moeder bij beide opties

Eric?

In vrgdring

Hoe kun je nu in een vergadering zitten?

Sorry heb haast

Bel je nu

Kan niet praten

Waarom niet??

In metro

Geen bereik

Hoe kun je dan sms'en?

Mt gaan

**CLAUDIA**

Het duurde een eeuwigheid, maar uiteindelijk kwam ik met een plan waar mam niks tegen in kon brengen: zij zou met Parvati en Carmen op pad gaan, en Jens en ik met z'n tweeën.

Dat was heel logisch, want a) mam zou Parvati en Carmen alsnog begeleiden; b) mam moest toegeven dat ik een verantwoordelijk genoeg persoon was om zelf op weg te gaan zolang ik niet alleen was; en c) Jens en ik overtuigden haar ervan dat zijn ouders heel relaxed zijn en het prima zouden vinden.

Jens' ouders zijn eigenlijk zo relaxed dat hij niet eens zeker wist of ze ervan op de hoogte waren dat hij aan een speurtocht meedeed.

**JENS**

Nederlandse ouders zijn niet zo... hoe noem je dat?

**CLAUDIA**

Opgejaagd?

**JENS**

Ja. Nederlanders zijn eerder neergekalmd.

geen echt woord
(maar HEEL schattig)

## CLAUDIA

Net toen mam eindelijk neerkalmde, vond Carmen de tapijten.

*tapijtafdeling*

## CARMEN

OMG IK KAN NIET GELOVEN HOEVEEL DIE TAPIJTEN KOSTEN!

## CLAUDIA

De tapijtafdeling zat direct naast de meubelafdeling, en gelijk toen we de prijskaartjes van handgeweven Perzische tapijten gingen bekijken, werd duidelijk dat we de goudmijn hadden gevonden.

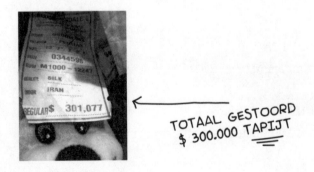

TOTAAL GESTOORD $ 300.000 TAPIJT

**PARVATI**

Ik kon alleen maar denken: wat nou als je een hond had... en je kocht dat tapijt... en de hond zou erop plassen?

Ik bedoel, echt waar. Kun je het je voorstellen? Hebben rijke mensen nooit een hond of zo?

**CARMEN**

Ik denk dat er een geheime afdeling in de kelder van Bloomingdale's zit waar je honden kunt kopen die niet plassen of poepen. Om samen met je tapijt van $ 300.000 te kopen.

Die honden kosten dan iets van $ 400.000.

**CLAUDIA**

Het vinden van het tapijt (acht punten!) bracht iedereen weer in een vrolijke bui. Toen ging mam samen met Parvati en Carmen naar de East Side om meer voorwerpen te zoeken, terwijl Jens en ik naar Times Square en de West Side gingen.

Alleen moest ik eerst Jens nog vinden, aangezien hij tijdelijk verdwenen was.

**SMS'JES (Claudia en Jens)**

WAAR BEN JE????????

Schoenenafdeling. Vind je deze leuk?
Beter voor rennen

OMG KOM DIRECT TERUG
NAAR MEUBELS

MAAR KOOP EERST DIE SCHOENEN

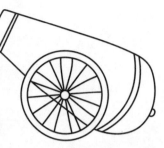

# HOOFDSTUK 15

# HET TEAM VAN MIJN BROER KOMT ZWAAR IN DE PUREE

CLAUDIA

Hoewel ik een heel verantwoordelijk persoon ben, die absoluut alleen gelaten kan worden in het midden van Manhattan en dat langer dan tien minuten kan volhouden zonder een enorme ramp te veroorzaken, is mijn broer dat niet.

En zijn idiote vrienden ook niet.

RIES

Er stonden DUIZENDEN mensen te wachten om de veerboot naar Staten Island op te kunnen. Wat best verrassend was, omdat het minor league-honkbalseizoen al voorbij was. En als je niet gaat om een wedstrijd van de Staten Island Yankees te bekijken, zou ik niet weten waarom je naar Staten Island zou gaan.

veerbootmenigte
Staten Island

**CLAUDIA**

Misschien omdat, weet ik veel, je daar woont?
Zoals een HALF MILJOEN mensen?

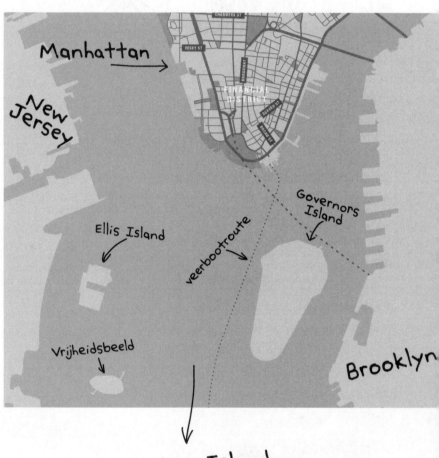

Manhattan →

New Jersey

Governors Island ↓

Ellis Island ↓

veerbootroute ↘

Vrijheidsbeeld ↓

Brooklyn

Staten Island
(HALF MILJOEN INWONERS!!)

**RIES**

O ja. Dat is logisch. Wauw, dat moet dan best een groot eiland zijn.

Hoe dan ook, Xander zei tegen Wyatt dat hij de veerboot moest nemen om een foto van Kalvin te nemen met het Vrijheidsbeeld op de achtergrond.

**WYATT**

Ik zei: 'Waarom moet ik dat doen?'

**XANDER**

Ik zo van: 'Ik doe het niet.'

**RIES**

Ik zo van: 'Ik ben zeeziek. Sowieso.' Wat hartstikke waar is. Ik ben een kotser.

*helaas waar (gebeurt ook achter in de auto) (#HardToLiveWith)*

**JAMES**

Er ligt een bevel voor mijn arrestatie op Staten Island. Ik kan daar geen voet aan wal zetten.

**RIES**

Ik vraag me serieus af of dat waar is. Maar het zal wel.

**WYATT**

Dus ik zei: 'Ik wil niet in mijn eentje naar Staten Island!'

**RIES**

En ik van: 'Iemand moet het doen. Waarom stemmen we niet gewoon?'

Dus dat deden we.

Het resulteerde in drie stemmen voor Wyatt en één stem voor 'iedereen behalve Wyatt'.

**WYATT**

Dat was heel oneerlijk van jullie, jongens.

**RIES**

Toen probeerde Wyatt eronderuit te komen. Hij zo van: 'We kunnen niet opsplitsen – we hebben maar één Kalvin de Kat!'

**JAMES**

Ik zei: 'Eigenlijk hebben we er twee. Wil je het hoofd of de benen?'

**WYATT**

Ik nam de benen mee. Want het hoofd was in iets van rioolwater gevallen op het metrospoor, dus het rook verschrikkelijk smerig.

*ECHT walgelijk — niet te geloven dat niemand ongeneeslijk ziek is geworden*

**RIES**

We lieten Wyatt achter in de rij voor de veerboot, en toen we de opstapplaats uit liepen dachten we: we gaan ons te pletter winnen!

Maar toen realiseerden we ons dat we geen voorwerpenlijst van de speurtocht hadden. Pap had onze enige kopie en niemand had eraan gedacht om hem mee te grissen toen we ertussenuit knepen.

## JAMES

Voor een persoon met een fotografisch geheugen was dit geen probleem geweest.

Maar niemand van ons had een fotografisch geheugen.

Dus was het een probleem.

## RIES

We gingen een paar minuten tekeer zo van: 'Wat was dat ding op Times Square ook alweer? En: 'Dinges dinges Chinese wijk...?'

De enige dingen die we nog zeker wisten, waren de vloerpiano bij FAO Schwarz en de Cyclone-achtbaan op Coney Island, een vet toffe achtbaan helemaal aan de rand van Brooklyn.

Toen zei Xander zo van: 'Bull-foto, yo!'

Dus we liepen naar het Charging Bull-standbeeld op Wall Street en namen de foto voor drie punten.

Ries zegt dat ze van Xander de foto van achteren moesten maken, wat HARTSTIKKE KINDERACHTIG is.

Toen besloten we naar Coney Island te gaan.

### XANDER

Ik was echt zo van: 'Cyclone, yo! Vet veel punten voor die rakker!' Duz ik spiekte naar Coney Island op Google Maps, en we moesten metro 4 pakken en een overstap zien te regelen.

Duz we zouden naar de metro gaan. Maar toen spiekten we een wedstrijd Man United – Liverpool op tv in de kroeg.

### RIES

Xanders op-een-na meest favoriete voetbalteam is Manchester United. Zij speelden die dag tegen

Liverpool, en op de stoep bij zo'n kroeg stond een groot bord, waarop stond: 'KOM MAN UNITED – LIVERPOOL KIJKEN OP GROOT SCHERM!'

Net toen we langs de kroeg liepen hoorden we allemaal gejuich, alsof er zojuist werd gescoord.

En Xander zo van: 'Laten we de score checken, yo!'

En ik zo van: 'Daar hebben we geen tijd voor!' Maar Xander was al naar binnen gegaan. Dus James en ik gingen hem achterna.

hier zat Hooligans (sloot een week na speurtocht en werd Duane Reade) (uiteindelijk sluiten ALLE zaakjes in NYC en worden een Duane Reade)

## CLAUDIA

Je weet toch wel dat het voor een twaalfjarige verboden is om zonder een ouder de kroeg in te gaan?

**RIES**

Ja, NU wel. Toen wist ik dat nog niet.

Ik had ook niet door dat de kroeg Hooligans heette. Wat gewoon GEEN goede naam is voor een kroeg waar ze voetbalwedstrijden tussen Engelse teams laten zien.

Daarnaast is het een HEEL slecht idee om zo'n kroeg in

*Voor meer info, google 'Engelse voetbalhooligans'. Dat is GESTOORD.*

te gaan met iemand als James Mantolini.

**JAMES**

Ik hou niet zo van sport. Dus in mijn ogen zag het er gewoon uit als een stelletje luidruchtige, zweterige kerels dat naar een tv zat te schreeuwen.

En ik dacht... gewoon lekker meedoen, weet je wel.

**RIES**

Dus wij kwamen binnen en het was overduidelijk een Liverpool-kroeg, want het zat stampvol met hun fans. Het was net een leger van reusachtige, kale mannen in rode T-shirts.

En Xander was nergens te bekennen.

**XANDER**

Ik was effe naar de plee. X-man moest wat laten druppelen.

**RIES**

Liverpool had net gescoord, dus de hele kroeg
zong een overwinningsliedje. Ze hadden een dik vet
accent, dus het was moeilijk te verstaan hoe dat liedje
ging. Maar het was sowieso een smerig liedje. En
HEEL gemeen tegenover de Manchester-fans. En hun
spelers. En de moeders van de spelers.

En net toen het liedje afgelopen was, was er zo'n
stiltemoment waarop niemand iets riep.

En precies op dat moment schreeuwde James:
'LIVERPOOL ZUIGT!' ← Heel, heel, HEEL erg dom
om dit in een kroeg vol
reusachtige Liverpool-fans
te doen.

**JAMES**

Ik probeerde gewoon een beetje in de stemming te
komen. Iedereen was dingen aan het roepen. Dus ik
dacht dat ze het wel konden waarderen om eens wat
andere meningen te horen over hun voetbalclubje.

Maar dat konden ze absoluut niet waarderen.

Dus probeerden ze ons te vermoorden.

**RIES**

Gelukkig stonden we precies bij de uitgang. Als we
iets van 3 meter verder hadden gestaan, denk ik dat
we nu letterlijk dood waren geweest.

De minuten daarna kan ik me niet zo goed
herinneren. Ik weet dat we aan het rennen waren
en dat ik heel, heel erg bang was. En een stel van de

Liverpool-fans zat ons achterna. Ik weet niet hoeveel het er waren.

## XANDER

Alles wat ik weet, is dat toen ik van de plee kwam, de halve kroeg leeg was.

Wat echt BEEST was, want toen waren er vrije plekken! Duz ik pikte er eentje in en begon naar de wedstrijd te spieken.

En ik bestelde wat kipvleugeltjes. Want X-man had honger.

## RIES

Ik ben zeker weten in mijn hele leven nog nooit zo bang geweest. Ik rende voor mijn leven, dus ik kon niet achteromkijken. Maar we hoorden de Liverpool-fans naar ons schreeuwen. Ze gingen tekeer, zo van: 'WE GAAN JULLIE VERMOORDEN!' Maar dan met zo'n dik vet accent. En heel veel scheldwoorden.

En de straten in dat gedeelte van de stad zijn gestoord smal en kort, dus we bleven maar hoekjes omskurlen, op zoek naar een verstopplek.

G.B.W. →

En toen we een bepaald hoekje omskurlden stond daar een vrachtwagen met de achterklep wagenwijd open. En het was daarbinnen compleet donker.

N.S.G.B.W.
(Nog Steeds
Geen Bestaa
Woord)

vrachtwagen
(niet dezelfde vrachtwagen)
(maar Ries zegt dat hij
er precies op lijkt)

En opeens sprong James de laadruimte in en
verdween.

Dus ik ging hem achterna.

**JAMES**

Nu ik er zo over nadenk: Ries heeft me nooit
bedankt voor het redden van zijn leven door die
vrachtwagen in te springen. Eigenlijk was hij nogal
ondankbaar.

**RIES**

Het was om te beginnen al jouw schuld dat we voor
ons leven moesten rennen!

**JAMES**

Maar ik heb ook onze levens GERED. Dus dat
compenseert het weer.

**RIES**

Zal wel.

Dus James en ik bukten achter de dozen. En we hoorden een soort van 'AAAAARGH!' van de voetbalmannen die langs ons heen renden.

Toen werd het stil en we wilden opstaan en er weer vandoor gaan. Maar toen hoorden we iemand aankomen, dus doken we weer weg. En even later klonk er een gestoord hard, trillend gedreun.

Dat moet de roldeur van de vrachtwagen zijn geweest die naar beneden ging. Want opeens was het pikkedonker en konden we niks meer zien.

Weer een momentje later hoorden we het portier heel snel openen en sluiten. Toen werd de motor gestart.

En zo kwam het dus dat we opgesloten zaten in de laadruimte van een vrachtwagen die richting New Jersey reed.

# HOOFDSTUK 16

## SABOTAGE OP TIMES SQUARE

CLAUDIA

Ook al woonde Jens al meer dan drie maanden in New York, hij was nog nooit met de metro geweest, omdat zijn moeder dat eng vindt. Dus het was erg spannend voor hem om metro 6 naar station Grand Central te nemen en over te stappen op de shuttle naar Times Square.

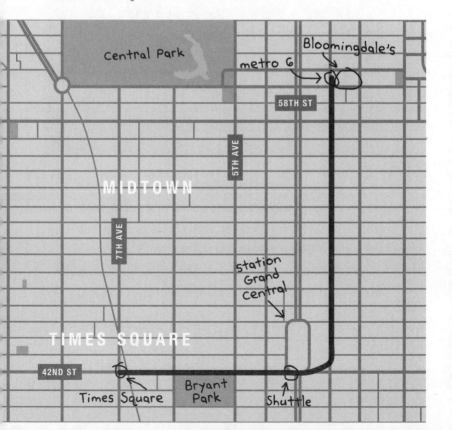

**JENS**

Ik was verrast. Ik dacht dat het er zou stinken, maar het viel wel mee.

**CLAUDIA**

Het stinkt alleen 's zomers heel erg.

Times Square metrostation
(stank staat niet op foto)

We waren op weg naar Times Square voor twee dingen: een affiche van een Broadway-musical (5 punten) en een foto van iemand in een Flubby-pak die Kalvin de Kat vasthoudt (8 punten).

Het affiche zoeken was makkelijk. We hoefden alleen maar naar een theater te gaan en erom te vragen.

ERG grappig toneelstuk
(heb mam overgehaald om
er 2 weken na de speur-
tocht samen naartoe te
gaan) (OOK: pap zegt dat
ik om juridische redenen
MOET zeggen dat 'het
affiche deze speurtocht
NIET ondersteunde.')

Maar even voor de duidelijkheid, het echt belangrijke ding was de Flubby-foto. Voor het geval je nooit een kind bent geweest en/of opgegroeid bent zonder televisie: Flubby is een personage uit de tv-show *Aardvarkenstraat*. Je zou kunnen zeggen dat hij voor alle driejarigen op de wereld een rockster is.

**JENS**

In Nederland heet hij niet Flubby. Daar heet hij *Fluuber.*

ZO schattig

**CLAUDIA**

Bijna elke dag lopen er wel een stuk of zes mensen in een Flubby-pak rond op Times Square, die geld vragen aan toeristen die met hen op de foto willen.

Flubby

toerist

geld van toerist

Het is een beetje gek, maar dat zijn wel meer dingen op Times Square.

Het duurde niet lang voordat we een Flubby hadden gevonden en hij leek hartstikke blij dat ik een foto van hem wilde maken... totdat ik onze Kalvin uit mijn tas haalde.

Toen hij de Kalvin zag, begon hij zijn grote Flubby-hoofd heen en weer te schudden, alsof hij zei: 'Neeeee.'

Ik dacht dat het kwam doordat ik hem nog geen geld had gegeven, dus ik pakte een paar dollarbiljetten en bood ze hem aan. Toen ik dat deed begon hij met zijn armen te zwaaien, zo van: 'Nee, nee, nee!'

Ik vroeg: 'Waarom niet?'

Toen draaide hij zich om en rende weg.

Flubby
(wegrennend)

Omdat ik heel veel *Aardvarkenstraat* heb gekeken toen ik klein was, was het best wel verontrustend dat er een Flubby zo voor me wegrende.

Maar het zou allemaal nog veel verontrustender worden.

## JENS

Eerst was het heel raar. Alle *Fluubers* vouwden hun armen over elkaar zodra ze Kalvin zagen, en wilden hem niet vasthouden.

## CLAUDIA

Het was alsof ze vampier-Flubby's waren, en alsof onze Kalvin gemaakt was van knoflook. Elke keer dat we naar een Flubby toe liepen, zei die heel vriendelijk van: 'O hallo,' maar zodra ik dan de Kalvin tevoorschijn haalde raakte hij overstuur en weigerde hem vast te houden.

Toen dat met de vijfde Flubby op rij gebeurde raakte ik helemaal gefrustreerd. Dus ik schreeuwde naar hem: 'Waarom wil je hem niet vasthouden? Het is maar een kat!'

En zo'n gedempte, echo-achtige stem vanuit het Flubby-hoofd zei: 'Ik heb het meisje beloofd, niemand anders!' met een Spaans accent.

'Welk meisje?' voeg ik.

'Het rijke meisje,' zei Spaanse Flubby.

En direct wist ik wat er gebeurd was: Fembotsabotage.

'Heeft een meisje je betaald om verder geen foto's meer te maken met deze kat?' vroeg ik hem.

Spaanse Flubby knikte met zijngigantische hoofd.

'Hoe zag ze eruit?'

'Lang haar. Zwarte auto. Mooie kleren.'

Athena Cohen.

Eigenlijk had het ook Meredith kunnen zijn. Of Ling. Of Clarissa. Ligt eraan hoeveel ze hem heeft

*[handgeschreven in de marge:]*
andere Flubby's die ons afwezen:
– boze Flubby
– luie Flubby (droeg Crocs)
– bont-uitval-Flubby
– rode Flubby (kan ook wel eens Elmo zijn geweest)

betaald en hoe mooi de kleren waren.

'Hoeveel heeft ze je betaald?'

'Vijftig dollar.'

Absoluut Athena. Alleen zij was rijk en gemeen genoeg om elke Flubby op Times Square om te kopen.

'Kun je niet alsjeblieft deze ene foto doen?' smeekte ik hem. 'Daar komt ze nooit achter!'

'Nee,' zei Spaanse Flubby. 'Ik belofte heb gedaan.'

'Alsjeblieft?'

'Nee. Sorry. Flubby is rolmodel voor de kinderen. Flubby moet beloftes nakomen.'

**JENS**

*eigenlijk heel bewonderings-waardig van hem (maar irritant)*

Toen je het maar aan hem bleef vragen en de *Fluuber* nee bleef zeggen, zag je er zo verdrietig uit. Ik wilde je alleen nog maar opvrolijken.

**CLAUDIA**

Jens gaf me een knuffel en zei: 'Maak je geen zorgen. Het is maar een spelletje. Laten we gaan lunchen.'

Waardoor ik eigenlijk NOG kwader werd. Want ik wist dat als we niet eens een Flubby-foto voor 8 punten konden krijgen, we zeker van de Fembots zouden verliezen. En ik wilde niet dat Jens dat maar gewoon oké vond – ik wilde dat hij kwaad zou worden en er samen met mij keihard voor zou gaan.

Maar voordat ik hem dat kon vertellen, hoorde ik een andere stem-vanuit-een-Flubby-hoofd roepen: 'Hé! Meissie!'

Ik draaide me om en daar stond een van de andere Flubby's. Ik weet niet zeker of het een van de Flubby's was die ons eerder hadden teleurgesteld, of dat het een compleet nieuwe Flubby was. Het is erg moeilijk om ze uit elkaar te houden. kan 'boze Flubby' zijn geweest (zie hierboven)

Hij zei: 'Wil je 'n foto met die kat?'

Deze Flubby had zo'n typisch 'jeweettoch'-New Yorks accent dat je hoort bij taxichauffeurs in slechte films. (Wat trouwens BELACHELIJK is, want de meeste taxichauffeurs in NYC komen uit het buitenland en klinken helemaal niet zo.)

Ik zei: 'Ja! Wil je dat doen?'

Jeweettoch-Flubby zei: 'Vijftig piek.'

Wat gestoord was, want ik ben geen Athena Cohen. Daarnaast was het onmogelijk, omdat ik maar drieëntwintig dollar bij me had. Dus ik wilde zeggen: 'Wat dacht je van twintig?'

Maar toen begon Spaanse Flubby met zijn grote, donzige vinger naar Jeweettoch-Flubby te zwaaien, en riep: 'Dit kun jij niet doen! Jij hebt meisje beloofd! Jij haar geld aangenomen!'

Jeweettoch-Flubby zei tegen Spaanse Flubby dat hij moest ophoepelen. Hij gebruikte alleen woorden die je ABSOLUUT niet uit de mond van een Flubby

als een driejarige hem heeft gehoord, is
hij/zij waarschijnlijk levenslang beschadigd

wil horen komen.

Spaanse Flubby zei iets van: 'Schamen jij!
Schamen! Jij draagt Flubby-kostuum! Jij moet
respect tonen!'

Toen stompte Jeweettoch-Flubby Spaanse Flubby
op zijn hoofd.

Ik denk niet het pijn deed, want het was niet zijn
eigen hoofd. Het was zijn gigantische nephoofd.

Maar toen begonnen ze elkaar te schoppen, en DAT zag er wel uit alsof het pijn deed.

Toen gingen ze er ECHT voor. Ik raakte in paniek en begon te schreeuwen. Ik weet niet of het wel verstandig was om dat te doen, maar ik had er nooit over nagedacht hoe ik zou reageren als ik twee Flubby's zou zien die elkaar op Times Square te lijf gingen.

Terwijl ik stond te schreeuwen nam Jens foto's.

## JENS

Eerst dacht ik: dit kan echt niet! We moeten ervandoor!

Maar toen dacht ik: twee vechtende *Fluubers* – dit ga ik waarschijnlijk nooit van m'n leven meer zien. Ik zou foto's moeten maken.

FOTO'S MET DE
KOSTUUMS ZIJN
GRATIS.
EEN FOOI MAG! :-)

## CLAUDIA

Gelukkig was het op Times Square, dus er waren twee politieagenten in de buurt. En toen ik schreeuwde, kwamen ze aangerend en hielden het gevecht tegen.

Toen vroegen ze ons wie er was begonnen. We zeiden dat Jeweettoch-Flubby de eerste klap had uitgedeeld, dus sloegen ze hem in de boeien.

geen foto van Flubby met handboeien
(want agent zei tegen Jens dat 't niet
cool was er een te nemen)

Toen maakten we ons snel uit de voeten, want ik wist dat als we mee zouden moeten naar het politiebureau om een verklaring af te leggen, we de speurtocht niet konden afmaken.

Voor de duidelijkheid wil ik er toch even op wijzen, dat als Athena Cohen in eerste instantie de Flubby's niet had omgekocht, dit Flubby-tegen-Flubby-geweld nooit had plaatsgevonden.

Ook wil ik er even op wijzen dat we geen Flubby-foto voor 8 punten hebben gekregen. En zonder die foto was Team Hutspot in principe de sjaak.

Tenzij we op een of andere manier een briljant plan konden bedenken dat het spel een andere wending zou geven.

Maar dat is een verhaal voor een ander hoofdstuk.

(hoofdstuk 18, om precies te zijn)

# HOOFDSTUK 17

# MIJN BROER ZIT VAST IN EEN VRACHTWAGEN DIE RICHTING HOLLAND TUNNEL RIJDT

**CLAUDIA**

Op dit punt was paps werkcrisis voorbij. Maar zijn speurtochtcrisis stond net op het punt te beginnen.

**RIES**

Ik zat serieus te flippen achter in die vrachtwagen. Want het was heel lawaaiig en hobbelig, en er was gewoon echt geen licht, behalve dat van onze telefoons.

zicht vanuit laadruimte vrachtwagen (re-creatie van de artiest) (genomen op onze wc)

licht van telefoons

James en ik deden zo van: 'HALLO? Meneer de Vrachtwagenchauffeur? Help ons alsjeblieft!' Maar hij kon ons niet horen. Ik denk dat hij de radio heel hard aan had staan, of zoiets.

James zo van: 'We gaan SOWIESO sterven hier achterin.'

En ik zo van: 'Hoe?'

En James zo van: 'Waarschijnlijk de hongerdood.'

Toen hij dat zei raakte ik een soort van in paniek. Daarom heb ik de cronut opgegeten.

**CLAUDIA**

Ik kan nog steeds niet geloven dat je de cronut hebt opgegeten. DIE WAS DERTIG PUNTEN WAARD!

**RIES**

Jij weet niet hoe het is om vast te zitten in de laadruimte van een vrachtwagen! Dat is heel stressvol!

Ik bedoel, ik weet wel dat we daar maar een paar minuten hebben gezeten. Maar ik was ervan overtuigd dat ik nooit meer iets te eten zou krijgen. En ik had niet heel veel ontbeten die ochtend.

**JAMES**

Ik waarschuwde Ries nog dat hij die cronut niet op moest eten.

Maar toen hij eenmaal begon zorgde ik ervoor dat
ik de helft kreeg.

**RIES**

Vlak nadat we de cronut hadden opgegeten –
waarvan ik trouwens zeker weet dat het een echte
was, want hij was achterlijk lekker – sms'te ik pap.

**RIES EN PAP (sms'jes van Ries' telefoon gekopieerd)**

> HELP PAP IK ZIT OPGESLOTEN
> IN VRACHTWAGEN

**RIES**

Hij zal nog steeds wel in een vergadering of zo
hebben gezeten, want hij sms'te niet direct terug.
Dus sms'te ik mam.

**RIES EN MAM (sms'jes van mams telefoon
gekopieerd)**

> HELP MAM IK ZIT OPGESLOTEN
> IN VRACHTWAGEN

> Is dit een geintje?

**RIES**

Mam belde me direct en ik vertelde alles wat er was gebeurd.

En zij had zoiets van: 'Ga gillen. Jullie allebei. Uit het puntje van je tenen.'

Dus James en ik begonnen te gillen.

En het werkte! Want vlak daarna stopte de vrachtwagen. En we hoorden de chauffeur uitstappen en wij zo van: 'WIJ ZITTEN HIER ACHTERIN!'

Toen schoof hij de roldeur omhoog en liet ons eruit.

Hij was nogal boos.

**JAMES**

De vrachtwagenchauffeur kwam heel labiel op me over. Nog labieler dan de voetbalsupporters, eerlijk gezegd.

**RIES**

Hij ging tekeer van: 'IK GA ERVOOR ZORGEN DAT JULLIE GEARRESTEERD WORDEN VOOR HET BETREDEN VAN VERBODEN TERREIN! DE SMERISSEN GOOIEN JULLIE ZO DE BAK IN!'

vrachtwagenchauffeur (re-creatie van de artiest) (gebaseerd op ooggetuigenverslag)

Toen gooide James het stinkende hoofd van Kalvin de lucht in.

Wat hij waarschijnlijk deed om voor afleiding te zorgen – want terwijl de vrachtwagenchauffeur en ik keken hoe Kalvin weer naar beneden viel, ging James ervandoor.

Echt, hij rende letterlijk schreeuwend door de straat. Zo van: 'AAAAHH!'

**JAMES**

Als je die vrachtwagenchauffeur had gezien – die was er duidelijk niet voor gemaakt om lange afstanden te rennen. Dus het leek me een slimme, strategische zet.

**RIES**

Doordat James er op die manier vandoor ging raakte de vrachtwagenchauffeur heel erg in de war. Hij wist niet wat hij ermee aan moest. Ik zag dat hij erover probeerde na te denken, zo van: zal ik dat kind achternagaan? Wat nou als die andere ervandoor gaat? En als ik die EERSTE niet te pakken krijg, gaat er NIEMAND de bak in...

Toen gaf hij het gewoon op. Hij zo van: 'Aaaah, gestoord!' en hij reed weg.

Toen bekeek ik mijn telefoon en kwam ik erachter dat pap me had ge-sms't.

RIES EN PAP (sms'jes van Ries' telefoon gekopieerd)

HELP PAP ZIT OPGESLOTEN
IN VRACHTWAGEN

Waar?

Ries? Maak je een grapje?

Waar ben je?

Klaar met werken, ga nu naar
standbeeld, zit je echt vast in een
vrachtwagen?

RIES ANTWOORD ALSJEBLIEFT

Is al goed. Uit vrachtwagen nu

Waar ben je?

Geen idee. Misschien
New Jersey?

hij zat NIET in New Jersey
(maar vrachtwagen reed daar
waarsch. heen, want dicht bij
Holland Tunnel)

Zijn de anderen bij jou?

Nee ben alleen

<< 165 >>

Waar is de rest?

Chambers Str.

Zijn ze in Chambers Street?

Nee ik

Bel je nu

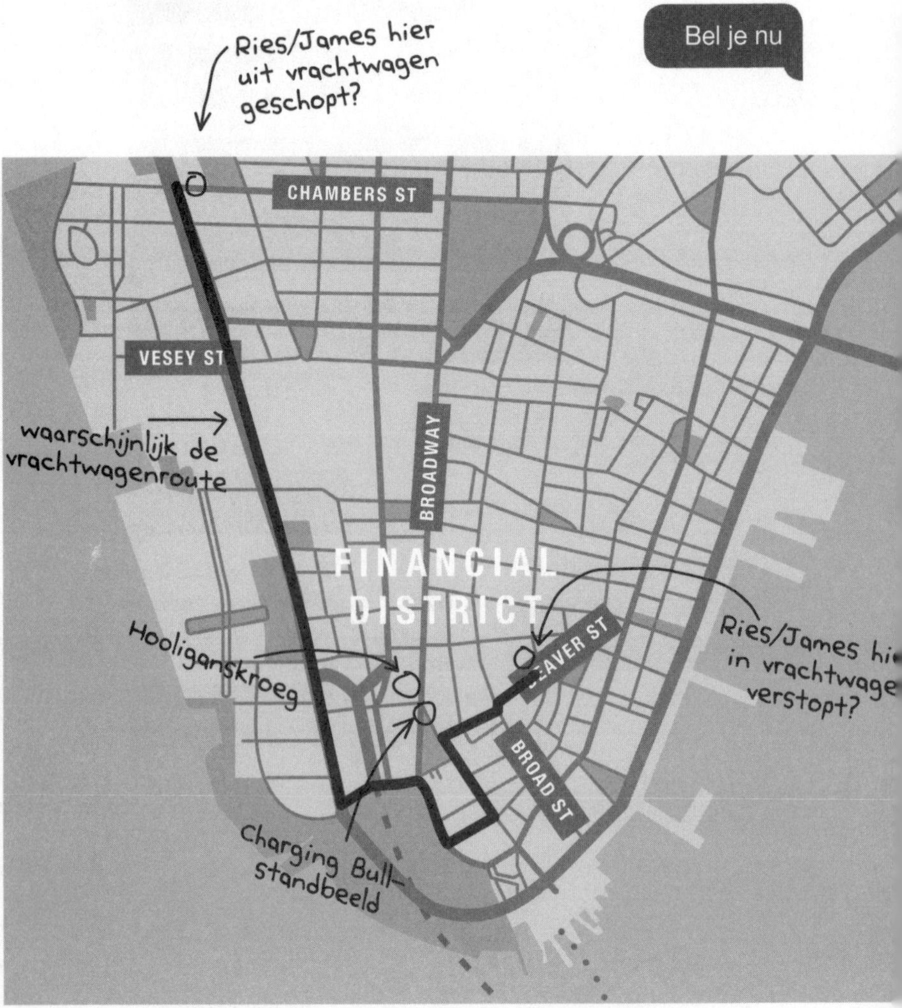

## RIES

Pap en ik praatten aan de telefoon en toen hij had uitgevogeld waar ik was, zei hij dat ik Chambers Street uit moest lopen tot aan Broadway, dan naar rechts en richting het zuiden om hem te treffen bij het Charging Bull-standbeeld.

Toen hing hij snel op, zodat hij de anderen kon opsporen.

## WYATT EN PAP
(sms'jes van Wyatts telefoon gekopieerd)

Wyatt, Ries' vader hier.
Waar ben je?

Staten Island. Deze foto gemaakt

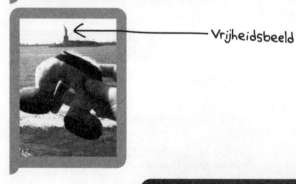

Vrijheidsbeeld

Zou beter zijn om een foto met hoofd te hebben

De rest heeft het hoofd. Waar zijn ze

Wr is rest

M. Tepper?

Moet weg

Zie je bij Bull

## XANDER EN PAP
(sms'jes van Xanders telefoon gekopieerd)

Xander, Ries' vader hier.
Waar ben je?

In een kroeg

Geen echte kroeg, toch?

Ja is echt

Ga alsjeblieft direct weg en tref me bij
Bull-standbeeld

Kannie

> Xander, je moet nu echt weg. Zie je bij Bull

Maar ik heb kipvleugels bezteld

*Xander kan niet eens een 7-letterwoord spellen. Erg sneu*

> Xander, voor jou IS HET VERBODEN om alleen in een kroeg te zitten

Vleugelz worden net gebracht

> Xander, werkelijk waar, ga nu weg

> Xander?

> Ben je de kroeg al uit?

Kannie smsse vieze vingers

## JAMES EN PAP

(sms'jes van James' telefoon gekopieerd)

> James, Ries' vader hier. Waar ben je?

U hebt het verkeerde nummer

> Dat spijt me

<< 169 >>

James, weet je zeker dat jij het niet bent?

Niemand die James heet op dit nummer

Dit is het nummer dat bij James Mantolini geregistreerd staat in de Culvertschool-database

ALS U NIET STOPT MET LASTIG-VALLEN GA IK DE POLITIE BELLEN

James, hou alsjeblieft op met grapjes maken. Waar ben je? Als jouw begeleider is het mijn taak om te weten waar je bent en dat je veilig bent

UW GEDRAG IS ILLEGAAL

DIT IS EEN OVERTREDING

IK HEB UW NUMMER AAN DE NEW YORKSE POLITIE DOORGESPEELD VOOR NADER ONDERZOEK

Als dit James niet is, accepteer dan alstublieft mijn oprechte excuses

**RIES**

Dat was sowieso James.

**JAMES**

Misschien was ik het, misschien ook niet.

**CLAUDIA**

Hij was het. James heeft me de sms'jes van zijn telefoon laten kopiëren.

**RIES**

Ik snap serieus geen bal van alles wat James Mantolini doet.

Dus ik liep Chambers Street af naar Broadway, zoals pap had gezegd. En terwijl ik liep bedacht ik dat ik vergeten was tegen pap te zeggen dat ik mam had gesproken. Dat maakte de boel allemaal nog een stuk erger voor hem, denk ik.

**MAM EN PAP**
**(sms'jes van mams telefoon gekopieerd)**

Jup. Gaat fantastisch

Alles goed met de kids?

Waarom vraag je dat?

Gewoon nieuwsgierig. Dus,
niks te melden?

Beetje hectisch. Maar goed

Geweldig!

Ja! Lol

Dus als mijn enige zoon me sms't:
'OPGESLOTEN IN VRACHTWAGEN
EN DOODSBANG' moet ik hem
gewoon terugsturen: 'LOL'?

Bel je nu

Schat?

Neem alsjeblieft op

Kan het uitleggen

Op zoek naar de beste manier om mijn woede te uiten.

Daar gaan we dan:

paddenstoelwolken
van atoombommen
(of gewoon bomen?)
(maar waarsch. bommen)

Het spijt me zo erg

Het gaat je nog veel meer spijten

## HOOFDSTUK 18

## JENS EN IK BEDENKEN EEN BRILJANT PLAN DAT EEN ANDERE WENDING AAN HET SPEL GEEFT

CLAUDIA

Nadat we waren gefembot op Times Square gingen Jens en ik met metro 1 naar downtown Manhattan om een flessendopje van de 5-cent-colamachine bij Tekserve te halen (wat dat ook mocht zijn).

Ik was best overstuur door de hele situatie waarin we zaten. Het was al 12:42, wat betekende dat de speurtocht al bijna voor de helft voorbij was, en er stonden nog zoveel dingen op de voorwerpenlijst die we nog niet hadden – vooral dingen die belachelijk ver uit elkaar lagen, zoals het Yankee-stadion en Coney Island – dat het erop leek dat we nooit meer zouden winnen.

En met hun vier auto's die vier verschillende kanten op reden – en hun idiote gedwarsboom van iedereen – lagen de Fembots waarschijnlijk aan kop.

Intussen kon Jens alleen nog maar aan lunchen denken.

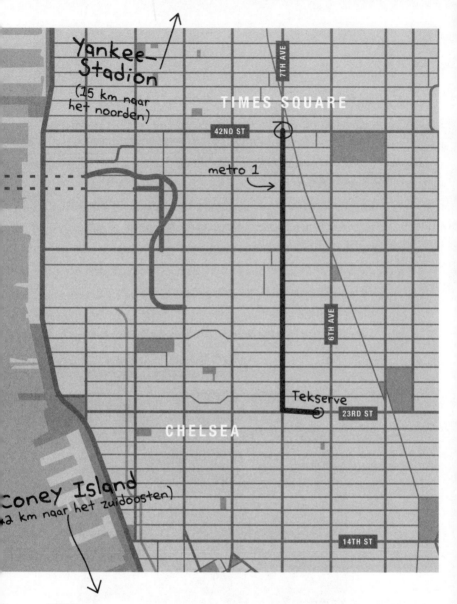

**JENS**

Het leek me heel leuk om die Katz's Deli uit te proberen.

## CLAUDIA

Ik zei tegen Jens dat dat belachelijk was, en dat hij het hele flesje cola van de 5-cent-colamachine (3 punten) wel leeg mocht drinken, en dat er MISSCHIEN genoeg tijd zou zijn om een pizzapunt te eten als we een tentje vonden waar ze pizzapunten voor 99 cent hadden (4 punten), maar we zouden absoluut NIET ergens op ons gemak gaan zitten lunchen, en al helemaal niet in een zaak als Katz's Deli (5 punten), die op zaterdagmiddag propvol zou zitten met toeristen.

En ook niet-toeristen, want de broodjes bij Katz's zijn overheerlijk.

Katz's Deli: probeer een broodje pastrami (TE GEK)

Maar dat zei ik niet tegen Jens, want dan zou hij juist nog liever gaan.

## JENS

Je was zo gestrest. Dus ik zei: 'Waarom relaxen we niet? Gewoon lol hebben en niet te veel over winnen nadenken?'

En daardoor werd je boos. Je zei: 'Het gaat hier niet om lol hebben! Het gaat om rechtvaardigheid!'

## CLAUDIA

Daar was ik echt van overtuigd. Het ging er niet alleen om dat we zouden verliezen. Ik was van de FEMBOTS aan het verliezen, die keihard aan het valsspelen waren.

En ik was niet zomaar een deelnemer – ik was degene die de hele speurtocht in elkaar had gezet! En als zou blijken dat je alleen kon winnen door superkwaadaardig te zijn en iedereen te saboteren, zou dat betekenen dat ik persoonlijk een monster had geschapen.

Dus het maakte niet uit hoeveel geld we zouden ophalen voor de Manhattan Voedselbank; de hele conclusie van de speurtocht zou zijn dat je, om vooruit te kunnen in het leven, kwaadaardig moet zijn. (en rijk)

Wat verschrikkelijk, echt verschrikkelijk zou zijn, niet alleen voor deze specifieke speurtocht, maar ook voor toekomstige generaties.

Dus de inzet lag een heel stuk hoger dan 'laten we lol hebben en een roggebroodje met cornedbeef en giga-augurken gaan eten.' *al zou dat heerlijk zijn (vooral bij Katz's)*

En toen ik hem dat allemaal uitlegde, veranderde Jens totaal van houding.

## JENS

Ik begon te denken: hoe kunnen we het spel veranderen zodat we kunnen winnen?

Dus ik keek nog eens naar de lijst. En het werd duidelijk.

Als we een foto met Deondra zouden hebben, kregen we 500 punten. En niemand kon ons dan verslaan.

## CLAUDIA

Eerst had ik zoiets van: 'Jens, Deondra die Kalvin kust was een GEINTJE. Dat liedje kennen we nu toch wel?'

Want ten tijde van de speurtocht was dat liedje van Deondra, 'Kattenkusje', een ENORME hit. Dus ik dacht dat Akash het daarom op de lijst had gezet.

## SINGLE TOP 10 IN DE WEEK VAN 25-10-2014

1 **KATTENKUSJE**, Deondra

2 **JE KUNT HET**, Miranda Fleet

3 **HIBBITY BIG**, Fiddy K

**AKASH**

NATUURLIJK heb ik het daarom op de lijst gezet!
HEEFT NIEMAND OP DEZE SCHOOL DAN GEVOEL
VOOR HUMOR?

**JENS**

Ik zei: 'Ja, oké. Het is een geintje. Maar het staat
alsnog op de lijst. Dus als we een foto hebben waarop
Deondra de kat kust, krijgen we 500 punten.'

**CLAUDIA**

Ik heb geen idee waarom ik daar zelf niet aan had
gedacht. Maar ik was zo door het dolle heen dat Jens
er wel aan had gedacht, dat ik hem wel had kunnen
zoenen op dat moment daar in de metro.

Ik zeg niet dat ik hem ook echt HEB gezoend. Of ik
dat nou wel of niet heb gedaan gaat niemand iets aan,
dus ik ga het niet ontkennen en ook niet bevestigen.

*daarnaast
is hij
technisch
gezien
NIET
mijn vriendje*

Hoe dan ook, ik voelde me helemaal aangemoedigd.
En ook opgelucht – want, om eerlijk te zijn, tot dat
moment had Jens nog niet echt een bijdrage geleverd.

Direct toen we de metro uit kwamen, belde ik
Parvati en vertelde haar dat we al onze bronnen in
moesten zetten om Deondra te vinden.

**PARVATI**

Toen je belde stonden Carmen en ik samen met

je moeder in de rij bij FAO Schwartz om een video
van de pianovloer te maken. En zodra je het had
over Deondra zoeken, had ik iets van: 'OMG, dat is
BRILJANT. En ik kan me niet voorstellen dat ik daar
niet als eerste op ben gekomen. Daarnaast ben ik
sowieso DE persoon om haar te vinden, want ik ben
al sinds groep 6 geobsedeerd door Deondra en ik ken
alle websites die ons aanwijzingen zouden kunnen
geven om haar op te sporen.'

Dus ik hing direct op en begon te zoeken.

## CLAUDIA

In de tussentijd gingen Jens en ik naar Tekserve,
wat een heel coole computerwinkel bleek te zijn.

TEKSERVE
(bezoekje waard)
(en maar 1 straat
bij Doughnut Plant vandaan!)
(ook bezoekje waard)
(als je van donuts houdt)

Er stond zo'n ouderwetse colamachine midden in de winkel, en toen we er aankwamen deed een man met een T-shirt van Tekserve aan net het deurtje van de machine open.

Daardoor begon ik me erg veel zorgen te maken. Maar toen ik zei: 'Hoi! Is er nog cola over?' antwoordde hij met: 'Ja, ik ben net aan het bijvullen.'

En toen zei hij: 'Een of ander meisje kwam binnen en heeft de hele machine leeggehaald. Het was echt heel bizar – ze kocht alle flesjes cola, gooide ze leeg in het gootsteentje en nam alle dopjes met zich mee. Dus toen ze weg was, moest ik twee nieuwe kratjes uit de opslag hierheen sjouwen.'

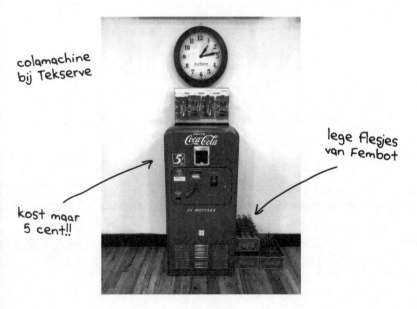

colamachine
bij Tekserve

lege flesjes
van Fembot

kost maar
5 cent!!

dopje van 5-cent-cola

Nu ik wist dat er een Fembotsabotage werd.
ondermijnd, voelde ik ons geluk terugkeren – en toen
Parvati belde met een update over Deondra werd ik
nog optimistischer.

**PARVATI**
Oké, dus ik checkte eerst 'Deondra Online' om
er zeker van te zijn dat ze niet aan het touren was,
of een film aan het maken, of een album aan het
opnemen was in Frankrijk, of zoiets. En dat was niet
zo. Dus alles oké.

Toen checkte ik de website van Fiddy K om er zeker
van te zijn dat HIJ niet aan het touren was, want, duh,
ze zijn met elkaar getrouwd, en, echt, steunen elkaars
carrières hartstikke erg. Dus als HIJ aan het touren
was, zou ze hoogstwaarschijnlijk met hem mee zijn.

En Fiddy K was ook niet aan het touren. Dus, nog
steeds alles oké.

Toen ging ik naar 'OMG Sterren In Het Wild!' om te kijken of Deondra laatst nog ergens was gespot. En de laatste foto die ze daar van haar hadden, was bij een Starbucks in Miami, zoiets. Maar dat was twee weken daarvoor al, dus ik dacht zo van, nog STEEDS alles oké.

Toen checkte ik 'Rode Loper 24/7' – en DAAR kwam ik erachter dat zij en Fiddy K net gisteren bij een liefdadigheidsfeest voor autisme in het Waldorf Hotel waren geweest.

En ik had dus iets van: 'OMG, dit is PERFECT. Want ze zijn waarschijnlijk tot laat uit geweest, en hebben uitgeslapen, en doordat ik `Ik ben Deondra` heb gelezen weet ik dat ze ervan houdt om in het weekend met haar hond te wandelen en/of ergens heel simpel te gaan brunchen met haar man en soms een paar goede vrienden.'

Ik ben
Deondra

door
Deondra

Deondra's autobiografie (om eerlijk te zijn niet zo goed als Miranda Fleets Vijftig)

Dus ik zei zo van: 'Claudia, je MOET naar Deondra's appartementencomplex gaan, ZSM, en daar wachten tot ze naar buiten komt om haar hond uit te laten of te gaan brunchen.'

**CLAUDIA**

Ik was helemaal onder de indruk van Parvati's speurwerk. Mijn enige vraag was: 'Waar staat Deondra's appartementencomplex in hemelsnaam?'

**PARVATI**

En ik zo van: 'Duh! Leonard Street 511 in de TriBeCa-buurt! Dat weet iedereen!'

Ik had hartstikke graag zelf willen gaan, maar we stonden al iets van twintig minuten te wachten tot we op de pianovloer konden. En ik wilde ons plekje in de rij NIET opgeven. Al helemaal omdat Colin Hartley van team Stinkadem vlak achter ons stond.

**CLAUDIA**

Jens en ik googelden het adres en twee minuten later zaten we weer in metro 1 om naar de TriBeCa-buurt in downtown Manhattan te gaan.

Trouwens, net zoals SoHo een afkorting is van SOuth of HOuston (ten zuiden van Houston), is TriBeCa een afkorting van TRIangle BElow CAnal Street (driehoek onder Canal Street).

Maar voor ons was het op dat moment meer
iets van '**TRI**omfantelijk pro**BE**ren de s**Ch**Andalig
gemene Femots te verslaan.'

En voor mijn vader, die net op dat moment toevallig
heel dicht bij ons in de buurt was, was het '**TRI**llend
van **BE**zorgdheid in de **CA**tastrofe van James
Mantolini kwijt zijn.'

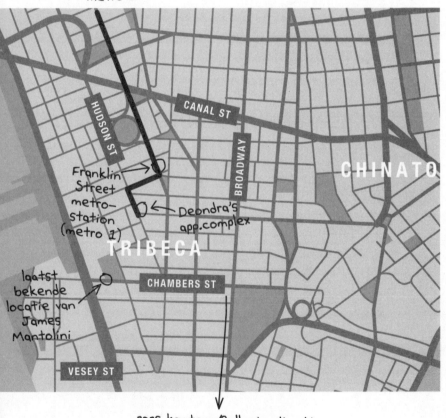

metro 1

CANAL ST

HUDSON ST

BROADWAY

CHINATO

Franklin
Street
metro-
station
(metro 1)

Deondra's
app.complex

TRIBECA

laatst
bekende
locatie van
James
Mantolini

CHAMBERS ST

VESEY ST

paps kantoor/Bull-standbeeld
Ries & idiote vrienden

# HOOFDSTUK 19

## HET TEAM VAN MIJN BROER ZAKT NOG DIEPER DE PUREE IN

**RIES**

Toen ik terug was bij het Charging Bull-standbeeld, stonden pap en Wyatt er al. Pap was waanzinnig gestrest over het feit dat hij ons halve team kwijt was, en het eerste wat hij deed was ons meenemen naar Hooligans om Xander op te halen. Ik verstopte me samen met Wyatt om de hoek, zodat de Liverpool-supporters me niet weer zouden proberen te vermoorden, terwijl pap Xander naar buiten sleepte.

**XANDER**

Yo, respect voor de Grote Tepper voor het dokken van die rekening voor die kipvleugeltjez.

**RIES**

Daarna hadden we zoiets van: 'Wat is het volgende voorwerp op de lijst?'

En pap zo van: 'James Mantolini zoeken! Wat is zijn nummer?'

En wij zo van: 'Heeft hij je dat aan het begin niet gegeven?'

En hij zo van: 'Jawel, maar dat was een nepnummer. Wat is het echte nummer?'

En wij zo van: 'Geen idee.'

Want niemand van ons had James ooit ergens voor gebeld. Maar ik had zijn e-mailadres, want hij stond in de maillijst voor kinderen die tijdens de middagpauze bijles in rekenen kregen van juf Santiago.

Dus ik stuurde James een mailtje, al dacht ik dat hij sowieso niet zou antwoorden.

**RIES (e-mail naar James)**

**⊗ ⊖ ⊕   JAMES WAAR HANG JE UIT??????**

✕  ←  ←  →  ✉

Van: skronkmonster@gmail.com

Aan: ik_bn_batman_3chtw44r@yahoo.com

Datum: 25 oktober 2015 12:54:33

Onderwerp: JAMES WAAR HANG JE UIT??????

M'N VADER IS SUPERBEZORGD BEL HEM AJB

~~telefoonnummer~~ ←

*telefoonnummer doorgekrast omwille van privacy*

**RIES**

Toen hadden we zoiets van: 'Pap, maak je geen

zorgen, komt wel goed met hem.'

En pap zo van: 'Ik ben de begeleider – ik MOET
zeker weten dat iedereen veilig is.'

Dat was, als je bedenkt dat hij ons in eerste
instantie alleen had gelaten, een beetje eh... hoe
noem je dat? Als iemand iets zegt en het is juist het
tegenovergestelde van wat je zou verwachten?

**CLAUDIA**

Ironisch?

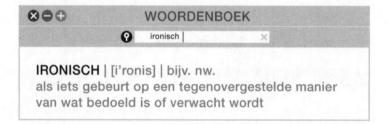

**RIES**

Dat is het, ja. En het leek me hartstikke gestrift om
ook maar één poging te doen James te gaan zoeken.
Want New York is niet alleen megagroot, maar we
zaten ook nog eens midden in de speurtocht.

Dus wij allemaal zo van: 'Waarom splitsen we niet
gewoon weer op?'

En pap zo van: 'We gaan NIET opsplitsen! Over m'n
lijk!' En dat was weer zo hartstikke... o sjemig, ben ik
dat woord alweer vergeten.

**CLAUDIA**

Ironisch.

**RIES**

O ja. Sorry.

En Wyatt en Xander zo van: 'We kunnen niet stoppen met de speurtocht! We zijn aan het winnen! We hebben de cronut!'

Dus toen moest ik ze vertellen dat ik de cronut had opgegeten.

**WYATT**

Daar werd ik echt pisnijdig om. Je zette mij helemaal in m'n eentje op de veerboot – en toen ik weg was AT JE DE CRONUT OP?!

**RIES**

Het spijt me zo skronkend veel, gast.

 G.B.W.

**XANDER**

Zwak, yo. ZWAK!

**RIES**

Ik weet het! Het spijt me!

Dus pap leidde ons naar Broadway, terug naar het punt waar ik James voor het laatst had gezien. En hij zo van: 'Als jij James was, waar zou je dan naartoe gaan?'

**XANDER**

En ik zo van: 'Gevangenis.' Want J-Mo draait geheid de bak in als ie zichzelf niet laat checken.

En Grote Tepper zo van: 'Daar gaan we later wel kijken.'

**WYATT**

Toen ik zo van: 'Dunkin' Donuts!'

En je vader zo van: 'Houdt James van donuts?'

En ik zo: 'Kweenie – maar daar zit een Dunkin' Donuts. En we kunnen een donut kopen en doen alsof het een cronut is!'

**RIES**

Wat een vet idee was. Want al had ik de cronut dan opgegeten, ik had het doosje wel bewaard.

Dus we renden zo'n beetje naar binnen en kochten een donut voordat pap er ook maar tegenin kon gaan.

We namen eentje met aardbeienglazuur, want dat leek op de cronut die ik had opgegeten, behalve dan dat hij een klein beetje ovaal was. Dus ik beet wat van de randjes om het er iets meer als een cronut uit te laten zien.

Daarna stopten we hem in het doosje. Al had ik Kalvins hoofd daarin meegesjouwd, dus het doosje was een klein beetje zompig van het smeerderige metrowater.

B.M.N.N.E.B.W.
Bijna (Maar Net Niet)
Een Bestaand Woord

## CLAUDIA

Vertel me alsjeblieft dat niemand die half opgegeten donut nog in zijn mond heeft gestopt nadat hij in die smerige doos had gelegen.

E.E.B.W.
(Een Echt Bestaand Woord)

dit is NOG WALGELIJKER
DAN WALGELIJK

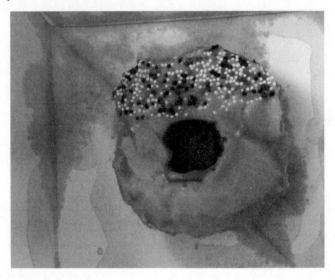

## RIES

Geen commentaar.

Hoe dan ook, toen we de plaatsvervangende cronut hadden, zei pap zo van: 'Check je e-mail, misschien heeft James gereageerd!'

En ik zo van: 'Pap, echt niet... O mijn god, hij heeft gereageerd!'

JAMES (e-mail naar Ries)

---

**⊗ ⊖ ⊕    RE: JAMES WAAR HANG JE UIT??????**

✕ ← ≪ → ✉

Van: ik_bn_batman_3chtw44r@yahoo.com

Aan: skronkmonster@gmail.com

Datum: 25 oktober 2015 13:02:33

Onderwerp: RE: JAMES WAAR HANG JE UIT??????

---

Op 25 oktober 2014 12:54 schreef Ries Tepper
<skronkmonster@gmail.com>:
M'N VADER IS SUPERBEZORGD BEL HEM AJB

Ik ben helemaal alleen en bang ajb haal me op bij kruising
Flatbush Street en Atlantic Street

---

**RIES**

Ik liet pap het mailtje zien en hij zo van: 'Flatbush
en Atlantic? Hoe is hij nou helemaal in Brooklyn
verzeild geraakt?'

En toen zei pap zo van: 'We moeten hem gaan
halen.'

En wij allemaal zo van: 'Maar dan kunnen we nooit
meer de speurtocht winnen! We hebben nog maar
een paar uurtjes!'

**WYATT**

Toen had je vader zoiets van: 'Jongens, ik zeg dit in alle eerlijkheid: jullie kunnen de speurtocht SOWIESO al niet meer winnen. Het is al 13:00 uur geweest en jullie hebben alleen nog maar een bonnetje van een taxirit, een stel slingerende benen voor het Vrijheidsbeeld en een half opgegeten donut.

Jullie worden INGEMAAKT. Dus, nu meekomen om James op te halen, zodat we in ieder geval allemaal heelhuids thuiskomen.'

**XANDER**

Dat was hard, yo. Grote Tepper toonde geen enkel rezpect voor ons met die preek.

Maar het boooeeeide me niks niet. Want ik waz een geheim plannetje aan 't bedenken om te winnen.

**RIES**

Xander vroeg aan pap of wij met z'n drieën een taxi mochten nemen om naar zijn huis te gaan – hij woonde maar een paar straten bij de Culvertschool vandaan – zodat we daar konden wachten terwijl pap James ging ophalen in Brooklyn.

Wyatt en ik zo van: 'Waarom wil je naar jouw huis?'

En Xander zo van: 'Geheim plan, yo.'

En wij zo van: 'Wat voor geheim plan?'

En hij zo van: 'Twee woorden: photoshop.'

**CLAUDIA**

Photoshop is één woord.

**RIES**

Serieus? Is het niet zo van photo én shop?

**CLAUDIA**

Nee. Het is gewoon photoshop.

*lijstje van dingen die Xander niet weet is HEEL ERG LANG*

**RIES**

O. Ik denk niet dat Xander dat weet. Maar goed, pap was niet zo weg van het idee om weer op te splitsen. Maar we zwoeren bij hoog en laag dat we direct naar Xanders huis zouden gaan en daar, wat er ook mocht gebeuren, niet weg zouden gaan, behalve misschien als zijn appartement in de fik zou staan.

Toen zei pap zo van: 'WAAROM zou Xanders appartement in brand staan?'

En wij zo van: 'Er komt heus geen brand! Dat was maar een voorbeeldje!'

En hij zo van: 'BELOOF me dat jullie niets in brand steken.'

En wij zo van: 'NATUURLIJK NIET!'

Dus uiteindelijk stopte hij ons in een taxi die ons weer uptown bracht, en ging zelf richting Brooklyn om James te zoeken.

*nog meer inschattingsfouten van pap (maar geen echte brand ontstaan)*

Ik had waarschijnlijk even tegen pap moeten zeggen dat James een gigantische leugenaar is, dus dat er best een grote kans bestond dat hij niet echt in Brooklyn was. Maar ik kon aan niks anders meer denken dan Xanders geheime plan, dus dat vergat ik een beetje.

Dus dat was mijn schuld.

# HOOFDSTUK 20

# PARVATI WORDT EEN TIKKELTJE TE LUIDRUCHTIG

CLAUDIA

Zo beroemd zijn als Deondra blijkt ook een minpunt te hebben, want wanneer je thuis bent hangen er altijd obscuur ogende mannen met enorme camera's rond je appartement, om foto's van je te nemen en/of je te volgen wanneer je naar buiten gaat.

obscuur ogende mannen met camera (ook wel paparazzi genoemd)

Het officiële woord voor die mannen is paparazzi, wat denk ik Italiaans is voor 'vervelende fotograaf'. Er stonden vier van die mannen buiten bij Deondra's appartementencomplex toen wij eraan kwamen. Ik denk niet dat er ook maar één van hen echt Italiaans was, maar eentje was wel Frans. En ook al zag hij er obscuur uit, hij bleek wel cool te zijn.

### JENS

Die Fransman was een goede, zeker weten.

Jacques
(Franse
paparazzo)

'o' aan het
einde is
enkelvoud
(heb ik
opgezocht)

litteken op onder-
arm van toen film-
ster hem beet
(zie pag. 199)

### CLAUDIA

Hij heette Jacques. Toen Jens en ik voor het gebouw gingen staan, zei hij: 'Jullie zoeken Deondra?'

Ik zei: 'Ja! Weet u of ze binnen zit?'

Jacques zei: 'Denk het. Assistent kwam en liet hond uit. Dus hond is thuis. Meestal, als hond thuis is, is Deondra dat ook.'

'Wat voor hond is het?' vroeg ik hem.

'Rottweiler,' zei hij. Wat logisch was. Als er altijd obscuur ogende mannen rond mijn appartement zouden hangen, zou ik ook een rottweiler nemen.

rottweiler: uitstekende hond voor beroemdheden met paparazziprobleem

Toen vroeg hij: 'Wil je haar ontmoeten?'

Ik zei: 'Niet echt... We hebben alleen een foto nodig waarop ze dit een kusje geeft...' en ik liet hem onze Kalvin de Kat zien. Hij keek ons vragend aan, dus we vertelden hem over de speurtocht.

**JENS**

Ik vroeg aan de Fransman: 'Denk je dat ze dit voor ons wil doen?'

En hij zei: 'Misschien. Voor een grote ster als zij is ze best cool. Maar je kunt beter hopen dat hond niet bij haar is.'

Dus ik zei: 'De hond is niet net zo cool?'

En hij zei: 'De hond is een enorme ———.' Dat woord kende ik niet in het Engels.

_kan echte woord niet gebruiken (want schunnig)_

Toen dacht hij nog wat na en zei: 'Maar misschien houdt hond gewoon niet van fotografen.'

## CLAUDIA

Hierna gebeurde er een tijdje niet veel, behalve dat Jacques ons paparazziverhalen vertelde. Sommige daarvan waren echt heel raar. Op een gegeven moment liet hij ons een litteken op zijn onderarm zien, en hij zei dat hij dat had opgelopen doordat een beroemde filmster hem had gebeten bij een restaurant.

_Pap zegt dat ik geen naam mag noemen, anders word ik aangeklaagd._

Ik weet niet 100% zeker of dit waar was, maar het litteken had duidelijk de vorm van een beet. En als ik denk aan alle dingen die ik op internet heb gelezen over de filmster in kwestie, lijkt het geloofwaardig.

Toen ging het hek van de parkeergarage van Deondra's appartementencomplex omhoog, en kwam er een grote SUV uit rijden.

grote SUV (niet die van Deondra)
(maar zag er precies zo uit)

Opeens renden alle paparazzi naar hun voertuigen – twee hadden een motor, eentje had een mountainbike, en Jacques reed een Vespa-scooter – en zoefden weg om de SUV achterna te gaan.

'Waar gaan ze naartoe?' riepen we naar hem.

'Geen idee!' riep hij terug. Maar voordat hij wegsnelde, gaf hij ons zijn visitekaartje en zei dat we hem ons nummer moesten sms'en, dan zou hij terug sms'en om te laten weten waar Deondra uiteindelijk was.

Amerikaans nummer (vrijwel zeker dat het erg duur is om iemand in Frankrijk te sms'en)

Dus we stuurden een sms'je naar het nummer op zijn kaartje en vijf minuten later sms'te hij terug.

## SMS'JES

(Claudia en obscure-maar-coole Franse man)

> Hi Jacques! Ik ben de fan van Deondra die u net hebt ontmoet. Als u me haar locatie zou willen sms'en, zou dat helemaal te gek zijn, en ik zou u heel dankbaar zijn

> Zoso in West Village

**CLAUDIA**

Ik had geen idee wat Zoso was, dus ik googelde het.

**PARVATI**

ONGELOOFLIJK dat je nog nooit van Zoso had gehoord. Dat is, echt, HET hipste restaurant in heel Manhattan.

**CLAUDIA**

Was jij er weleens geweest?

**PARVATI**

Natuurlijk niet! Het is echt onmogelijk om daar

als normaal mens een tafel te reserveren. Je moet óf beroemd zijn, óf rijk, óf allebei.

## CLAUDIA

Zoso is zo exclusief dat het niet eens een website heeft, dus we zochten de exacte locatie (Grove Street) op in een artikel op 'OMG Sterren In Het Wild!' over een filmster die daar voor de deur op een geparkeerde auto had overgegeven. *NIET dezelfde filmster die Jacques bee*

We namen een taxi – wat me bijna al het geld kostte dat ik bij me had, maar ik wilde geen risico's nemen – en reden naar Grove Street, wat zo'n heel schattig West Village-zijstraatje is dat eruitziet als een filmset.

*heel schattig West Village-zijstraatje (Grove Street)*

Onderweg belde ik Parvati – die nog steeds in de rij stond voor de FAO Schwarz-pianovloer – want dit was een groot moment voor Team Hutspot. En ik wilde haar feliciteren met haar fantastische speurwerk.

Helaas bleek het een enorme fout te zijn om Parvati te bellen.

**PARVATI**

Mag ik even zeggen dat wat er gebeurde, NIET mijn fout was?

**CARMEN**

Hoezo was het niet jouw fout? Je schreeuwde uit: 'CLAUDIA HEEFT DEONDRA GEVONDEN! ZE IS AAN HET BRUNCHEN BIJ ZOSO!' Echt, zo hard dat de hele winkel het kon horen.

**PARVATI**

Jij vroeg me waarom ik zo op en neer aan het springen was!

**CARMEN**

Ik wist niet dat je keihard supergeheime informatie zou gaan rondbazuinen! VOORAL met Colin Hartley op slechts een halve meter afstand!

## PARVATI

Het spijt me hoor, maar als JIJ je hele leven aan Deondra had besteed, en alles wat ze doet had aanbeden? Zou je ook helemaal uit je dak gaan als je erachter zou komen waar ze zat te brunchen.

En over uit je dak gaan gesproken – dat Colin dat op ClickChat zette was, echt, het domste ter wereld wat je kon doen.

Het is één ding om, zeg maar, zelf naar Zoso te gaan en een foto van Deondra te nemen. Maar om nou IEDEREEN die aan de speurtocht meedoet te vertellen waar ze is? Totaal gestoord.

## CLAUDIA

Zoso had geen uitklapbord of menukaart of zoiets buiten staan, dus toen we in Grove Street aankwamen, hadden we nooit geweten waar het was als de paparazzi niet allemaal aan de overkant hadden gestaan.

Zoso (zo hip dat je niet eens kunt zien dat het een restaurant is) (behalve aan een sticker van de horeca-inspectie op het raam)

voordeur (verstopt onder trap)

We bedankten Jacques dat hij ons op de hoogte had gehouden. Vervolgens probeerden we naar binnen te gaan. Maar we hadden nog geen stapje door de deur gezet of de hosts (of gastheren/vrouwen of deurmensen, of hoe je ze ook mag noemen) hielden ons al tegen. Het waren een supermagere, lange man met een belachelijk duur kapsel en een nog magerdere/langere/nog-duurder-gekapte, blonde vrouw, allebei gekleed in bij elkaar passende zwarte coltruien.

re-creatie van de artiest van hosts bij Zoso (erg mager en gemeen)

JENS

De man zei: 'Kan ik u helpen?' Maar de manier waarop hij het zei klonk helemaal niet alsof hij wilde helpen.

En toen jij zei: 'Een tafel voor twee alstublieft?' deed de vrouw een raar geluidje met haar neus.

## CLAUDIA

Het waren enorme snobs. En direct nadat ze ons hadden verteld dat er geen vrije tafels waren, verscheen er opeens zo'n gigantische uitsmijter.

## JENS

Ik denk dat die uitsmijter er al de hele tijd stond. Alleen, voordat hij bewoog dacht ik dat hij een meubelstuk was. Een boekenkast of zo.

## CLAUDIA

Ik heb echt nog nooit zo'n groot mens gezien. Ik heb geen idee waar ze een coltrui in zijn maat hebben gevonden.

re-creatie van de artiest van de uitsmijter bij ZoSo (NIET mager, maar sws gemeen)

Twee seconden later stonden we weer op straat. Maar we bedachten dat we eigenlijk helemaal niet naar binnen hoefden – we hoefden alleen maar te wachten tot Deondra klaar was met brunchen, en haar vervolgens te smeken om een foto met Kalvin wanneer ze naar buiten kwam.

Dus we gingen op een zandstenen trapje zitten twee huizen verderop, en wachtten.

Toen checkte ik de ClickChat-pagina en begon het tot me door te dringen dat alles uit de hand aan het lopen was.

## CLICKCHAT-BERICHTEN OP DE PAGINA VAN DE SPEURTOCHT VAN DE CULVERTSCHOOL

Daniella R. (De Hardheid)

daniR Maar als het 10 cm is krijgen we dan ten minste 2 pt???

Akash TsaarVanDeTocht Geen deelpunten. Een beeldje van Empire State Building van 7,5 cm of kleiner is 5 punten. Alle andere zijn nul punten.

Colin (Stinkadem) Hartaanval01 DEONDRA GEZIEN BIJ ZOZO

daniR WAT???!!!

daniR Wat is ZOZO?

Natasha (De Hoeissies) tasha_sez Bedoel je Zoso? Het restaurant?

Hartaanval01 J

TsaarVanDeTocht Deondra-ding is een GRAP! Ga verder met je leven, mensen.

Hartaanval01 Ja maar staat op de lijst. Dus als we foto krijgen is het 500 pt. Toch?

<< 207 >>

Hartaanval01 Toch? 500 pt voor Deondra die Klavin kust

Hartaanval01 Toch, Akash???

Hartaanval01 TOCH??????

TsaarVanDeTocht Wacht ff ik check t bij juf Bevan

TsaarVanDeTocht Technisch gezien klopt het

tasha_sez OMG ik ga nu naar Zoso. Grove Street in W Village

Hartaanval01 Doe geen moeite JKopp is er bijna en hij krijgt eerder 500 pt dan jij

tasha_sez Wat maakt t uit wie eerste is? We kunnen ALLEMAAL 500 pt krijgen

AidanDeGrif ga er direct heen

nummah_tien SOWIESOOO

BritSeavs DIT IS TE GEK!!!

*Aidan (Doderz)*

*Tijmen (Wolven)*

*Brittany (De Hardheid)*

## CLAUDIA

Het eerste wat ik zag toen ik van mijn telefoon opkeek, was Jos Koppelman van Stinkadem, die in volle vaart door Grove Street onze kant op kwam rennen.

Toen hij stopte en vroeg waar Zoso zat, deden Jens en ik alsof we geen idee hadden waar hij het over had. Maar hij had het al snel door en rende gelijk naar binnen.

Vijf seconden later rende hij alweer naar buiten. Toen hij buiten kwam zag hij er nogal overstuur uit. Waarschijnlijk kwam dat door de uitsmijter.

**JENS**

Toen kwam die grote jongen uit de tweede klas,
Jos, tussen ons en het restaurant in staan. Dus als
Deondra naar buiten zou komen, zou hij eerder zijn.

**CLAUDIA**

Dat leek me een probleem.

Maar al snel kwamen we met VEEL grotere
problemen te zitten. Want een minuut later kwam
Ella Daniels van De Hardheid de straat in rennen.

Natasha Minello van De Hoe-issies zat vlak achter
haar aan.

Toen verscheen Luuk Zwart van Team Te Gek.

Daarna Dimitri en Toby van De Hoofse Ridders.

Toen een hele meute kinderen van Doderz...
Voordringers!... JBTW... Heren Van De Upper East
Side... Vuurteam Vier... De Dark Knights... Wolven... en
zo'n beetje elk team dat met de speurtocht meedeed.

Plus een stel toeristen en willekeurige mensen die
de hele groep scholieren zagen en dachten dat er iets
aan de hand zou zijn, en dus wilden blijven staan om
te kijken wat er gebeurde.

Binnen tien minuten stonden er zoveel mensen
te dringen bij de ingang van Zoso, dat het auto's de
grootste moeite kostte door de straat te rijden.

Toen verschenen Athena Cohen en haar moeder, en
begonnen de problemen pas echt.

stadsauto van Satan
(eigenlijk van Athena)
(niet dezelfde als die van haar)
(maar lijkt er veel op)

# HOOFDSTUK 21

## NACHTMERRIE IN GROVE STREET

### CLAUDIA

Ik wist dat het Athena en haar moeder waren zodra ik die stomme stadsauto met chauffeur aan het einde van de straat de hoek om zag komen.

Hij stopte vlak voor Zoso, en er stond zo'n immense mensenmassa dat toen hun chauffeur de deur opende voor Athena en haar moeder, het net leek alsof ze een grote entree maakten bij een filmpremière.

De enorme uit-smijter stond nu buiten om de ingang te bewaken. En de magere hosts stonden zo'n beetje achter hem te schuilen. Ik denk doordat ze bang waren door de hoeveelheid mensen.

enorme uitsmijter
(vond het NIET leuk
om op de foto te gaan)

Athena en haar moeder liepen recht op de ingang af, en heel eventjes voelde ik me opgewonden omdat ik verwachtte dat ze, net zoals de rest, weggestuurd zouden worden, en dat zou een complete afgang zijn.

Dus wat er vervolgens gebeurde was een enorme, afgrijselijke schok.

**JENS**

Ik denk dat Athena's moeder misschien heel veel bij Zoso eet. Want die host-meneer grijnsde heel breed en zei: 'GEWELDIG U WEER TE ZIEN!'

Toen opende die reuzenman de deur zodat ze naar binnen konden.

Toen hij dat deed, maakte de hele groep dat geluid – hoe noem je dat? 'Naar adem snikken?' *Jens' Engels = niet perfect (maar schattig)*

**CLAUDIA**

'Naar adem snakken.' Iedereen snakte naar adem.

**JENS**

Ja. En toen zwaaide Athena. En iedereen was boos.

**CLAUDIA**

Vlak voordat ze naar binnen glipte, draaide Athena zich om en zwaaide naar ons allemaal.

Dat was zo'n beetje Athena's manier om te zeggen: 'HAHAHA, MIJN OUDERS ZIJN ZO RIJK EN HEBBEN

ZOVEEL INVLOED DAT WIJ EEN TAFEL BIJ ZOSO
KUNNEN KRIJGEN TERWIJL JULLIE ALLEMAAL
BUITEN STAAN TE WACHTEN ALS EEN STELLETJE
BOEREN.'

Het was de kwaadaardigste, arrogantste zwaai die
ik ooit in mijn leven heb gezien.

Iedereen vond dat, trouwens.

**JOS KOPPELMAN, teamgenoot van Stinkadem**

Ik voelde me VERSCHEURD vanbinnen toen ze dat
deed. Hoe heet zij? Athena? Gigantisch verwend nest.

**NATASHA MINELLO, teamgenoot van De Hoe-issies**

Ik kon haar wel zo'n beetje wurgen.

**LUUK ZWART, Team Te Gek**

Als ik mijn gevoel op dat moment moet beschrijven
in, zeg maar, twee woorden? Dan zou het 'blinde
woede' zijn.

**CLAUDIA**

Maar hoe kwaad iedereen ook was, het is HEEL
belangrijk dat je dit snapt: wat die stomme *New York
Star* ook zegt, we zijn ECHT GEEN rel begonnen.

Het werd absoluut niet meer dan misschien een
half relletje. Dat was vlak nadat Athena haar kleine
zwaai deed, en toen er een boze grom door de

me~~~~gte gonsde. En toen men zo'n beetje/soort van
op de ingang af stroomde.

Maar toen stak de uitsmijter zijn handen in
de lucht en ging tekeer van: 'YO! ALLEMAAL
ACHTERUIT, VERVLOEKT!' ← MEMO: niet het echte
woord dat hij gebruikte

En toen hij dat zei, deden we allemaal 'vervloekt'
een stap achteruit. Want hij was heel groot en we
respecteerden zijn gezag.

Als je het in z'n geheel bekijkt, gedroeg de menigte
zich eigenlijk heel netjes.

Dus de politie had eigenlijk helemaal geen reden
om naar Zoso te komen. Laat staan met z'n zessen.

**AKASH**

Je hebt echt veel geluk gehad dat juf Bevan
niet wist dat de politie kwam opdagen, totdat die
verslaggever haar iets van vier uur later belde.

**CLAUDIA**

Breek me de bek niet OPEN over die verslaggever!
Bijna alles in zijn artikel was één grote leugen. Ik ga
het hele ding hier niet eens in opnemen omdat het zo
belachelijk was. Maar voor de duidelijkheid is hier het
beginstukje:

# SPEURENDE SCHOOLKINDEREN VEROORZAKEN RELLEN
## Privéschoolkinderen en ouders in tumult tijdens geldinzameling

New York kent de Dienstplichtrellen, de Stonewall-rellen... en nu ook de Puber-rel.

Op zaterdagmiddag stroomde een kudde tieners van een van NYC's meest elitaire privéscholen massaal richting Zoso in West Village.

zette een prullenbak in brand, en een automobilist die zich door de volgepropte straat probeerde te manoeuvreren werd naar verluidt uit zijn voertuig getrokken door een stel puberale lacrossespelers, die dingen zongen als: 'Wij willen slachten!'

'Iemand vermoorden!' en meer van zulk soort bedreigingen.

kaartjes op de eerste rij bij MSG!' spuwde de twaalfjarige Dimitri Sharansky uit. 'Daarvoor trap ik sowieso mensen aan de kant.'

'Zouden we allemaal doen,' vulde zijn klasgenoot Toby Zimmerman aan. 'Mensen op de Culvertschool zijn supercompetitief.

Helemaal. Niets. Van. Waar. Behalve wat Toby zei, over dat mensen op de Culvertschool supercompetitief zijn.

**AKASH**

Weet je ZEKER dat er niks van waar is? Zo van, heeft echt niemand een prullenbak in brand gestoken?

**CLAUDIA**

Nee! Volgens mij gooide een van de paparazzi een

lucifer weg, en zette dat een servetje of zoiets in
brand. Maar dat was alles.

**AKASH**

Niemand werd uit zijn auto getrokken?

**CLAUDIA**

Nee! Die man stapte uit vrije wil uit om tegen
iedereen die de straat blokkeerde te schreeuwen.

En hij gedroeg zich nogal als een eikel, dus een
paar jongens uit de tweede klas werden nogal
loslippig naar hem toe.

Maar hij noemde ze verder alleen maar schorem en
toen reed hij weg.

**AKASH**

En ze zongen niet 'Wij willen slachten!'?

**CLAUDIA**

Natuurlijk niet! Het was 'Wij willen niet langer
WACHTEN!'

**AKASH**

En dat 'Iemand vermoorden!' dan? Ik hoorde dat
mensen tekeergingen van: 'Wat willen wij? We willen
iemand vermoorden!'

**CLAUDIA**

Dat is belachelijk. Ze zongen: 'Wat willen wij? We willen GESMOORDE groente! Wanneer willen we het? We willen het nu!'

Want blijkbaar staat Zoso bekend om haar gesmoordegroenteschotel. En ik denk dat de jongens van Stinkadem het hilarisch vonden om dat te zingen.

gesmoordegroenteschotel
(niet de echte van Zoso)
(maar lijkt hier waarsch. op)
(maar mss zonder stukjes appel)

**AKASH**

Maar als er eigenlijk helemaal geen echte rel gaande was, waarom kwam de politie dan opdagen?

**CLAUDIA**

Dat weet ik echt niet. Maar ik denk dat die magere man in de coltrui ze heeft gebeld.

En dan nog, toen de politie er eenmaal was, was het eigenlijk al voorbij. Want de magere man kwam naar buiten en riep: 'DEONDRA HEEFT HET GEBOUW VERLATEN! ZE IS DOOR DE ACHTERDEUR WEGGEGAAN!'

Eerst geloofde niemand hem. Maar toen zagen we dat alle paparazzi al weg waren, dus hij zal wel de waarheid hebben verteld.

Plus, Athena had toen haar smerig walgelijke berichtje al op de ClickChat-pagina gezet. Wat in principe haar laatste steek onder water was.

**CLICKCHAT-BERICHTEN OP DE PAGINA VAN DE SPEURTOCHT VAN DE CULVERTSCHOOL**

*Athena (kwaadaardig)*

godinmeisje Net de SCHATTIGSTE FOTO OOIT gemaakt van Deondra met Kalvin de Kat. Zal hem direct posten nadat ik hem heb ingeleverd voor 500 pt!

godinmeisje Ze is zo'n geweldig persoon. ZO aardig! Jammer dat jullie haar hebben gemist. Ze ging door de achterdeur weg om de menigte te ontlopen.

godinmeisje O ja gesmoordegroenteschotel is verrukkelijk. Denk alleen niet dat ik de mijne op krijg. Wil iemand m'n kliekje nog?

## CLAUDIA

Jens en ik liepen net weg toen Parvati, Carmen en mijn moeder eraan kwamen lopen.

**CARMEN**

Ik heb jou in je hele leven nog nooit zo verdrietig gezien. Het was zelfs nog erger dan die keer dat je je enkel verzwikte met gym.

*volleybal = gevaarlijker dan het eruitziet*

**CLAUDIA**

Eigenlijk deed het nog meer pijn dan toen ik mijn enkel verzwikte.

Het was een ander soort pijn. Maar het was sowieso erger.

**PARVATI**

Ik kan nog steeds niet geloven dat ik het allemaal heb gemist. Zo van, ik weet dat op Athena na niemand Deondra echt heeft GEZIEN. Maar het zou alsnog een grote eer zijn geweest om in dezelfde straat te zijn als mijn idool.

**CLAUDIA**

Op dat moment was het bijna 15:00 uur. En aangezien we wisten dat kwaadaardigheid toch al had gewonnen, zagen we het nut er niet meer van in om nog wat voorwerpen te scoren voordat de speurtocht om 16:00 uur zou eindigen.

Dus we aten een gigantisch deprimerende lunch bij een tentje waar je voor 99 cent een pizzapunt kon kopen (4 punten. Jeey!), en daarna namen we de

*sarcastisch ⟶*
*'Jeey'*

metro terug naar school.

Trouwens, je krijgt ook echt waarvoor je betaalt bij een pizzapunt van 99 cent. De reden waarom die zo goedkoop is, is dat er maar voor 10 cent kaas op zit en voor 5 cent tomatensaus. Dat is lang niet genoeg om een heel puntje te beleggen. Dus eigenlijk zit je een stuk korst met pizzasmaak te eten.

PIZZAPUNT
VAN 99 CENT

vlekje dat lijkt
op saus (geen
echte saus)

moet kaas
voorstellen

geen kaas

lijkt op kaas
(maar is
het niet)

**JENS**

Bedank je moeder alsjeblieft nog eens voor het betalen van de lunch.

**CLAUDIA**

Het was maar $ 3,96 voor ons vieren. Maar goed dan.

zonder drinken

# HOOFDSTUK 22

# BEESTENPLOEG: DE LAATSTE VERNEDERING

### CLAUDIA

Op dat moment zag het er somber uit voor iedereen die geen Fembot was.

Maar voor Beestenploeg zag het er nog het somberst uit.

Drie vierde van het team van Ries (James Mantolini werd nog steeds vermist) werd opgehouden in Xanders appartement aan Park Avenue, werkend aan zijn 'geheime plan', dat inhield dat ze hun Kalvin gingen photoshoppen in plaatjes die ze van internet haalden.

Daarmee zouden ze een heel minuscuul kansje maken, zelfs ALS ze experts zouden zijn met photoshop.

Maar experts waren ze bij lange na niet.

En hun Kalvin was nog walgelijker dan walgelijk.

### RIES

We probeerden Kalvin nog in de gootsteen te wassen, maar we kregen de vlekken er niet echt uit. Hij stonk alleen niet meer zo erg nadat we hem hadden gewassen, dus het was niet helemaal voor niets.

Toen wilden we zijn benen weer vastnaaien en zijn hoofd dichtnieten. Maar niemand van ons kon naaien, en de nietmachine deed het niet. Dus gebruikten we plakband. Dat bleef alleen niet zo goed plakken. Dus hebben we zijn delen maar een beetje tegen elkaar aan gedrukt en een foto genomen.

SNEUSTE
DING
OOIT

Toen gingen we de foto photoshoppen. Alleen kregen Xander en Wyatt eerst nog dikke ruzie over wie de muis zou bedienen.

**WYATT**

Niet persoonlijk bedoeld naar Xander, maar hij wist ECHT NIET wat hij deed. Ik bedoel, ik ben ook geen photoshop-expert, of zo. Maar ik heb het in ieder geval wel vaker gedaan. Ik denk dat Xander het programma zelfs nog nooit had geopend.

**XANDER**

Weet dit, yo: MIJN idee. MIJN photoshop. MIJN hand op de muis.

En ook: MIJN Cheeto's.

**WYATT**

Toen hij opeens de Cheeto-kruimels van zijn vingers aflikte en, zo van, kleffe stukjes Cheeto-slijm op de muis smeerde? Had ik iets van: 'Laat maar. Echt niet dat ik dat ding nu nog ga aanraken.'

**RIES**

We begonnen met een foto van Deondra, want, duh, 500 punten.

Maar het bleek heel moeilijk te zijn. Het duurde al eeuwen voordat we een foto van haar vonden waarop ze iemand kuste. En Kalvin erin plakken was nog moeilijker.

Fiddy K

Deondra

Kalvin van
Beestenploeg
(ieuw)

**CLAUDIA**

Dat is denk wel het sneuste wat ik ooit in mijn leven heb gezien.

Behalve dan de rest van jullie foto's.

**RIES**

ZO slecht waren ze niet.

**WYATT**

Ze waren verschrikkelijk. Nadat ik had gezien hoe slecht die foto van Deondra was geworden, gaf ik het zo'n beetje op en ging ik op de Xbox terwijl Xander en Ries de rest deden.

**RIES**

Ik vond die met Flubby wel goed gelukt.

**CLAUDIA**

Behalve dan dat je de Kalvin 3 meter lang hebt laten lijken. Terwijl hij in het echt maar 22 centimeter is.

**WYATT**

Serieus. Hij was een soort van Godzilla-Kalvin die Times Square verplettert.

**RIES**

Echt niet! ZO groot leek hij niet. Ik bedoel, als er al een Godzilla-Kalvin was, was het die ene bij de Cyclone-achtbaan.

**WYATT**

Die was al helemaal gestoord. Het leek alsof Kalvin op het punt stond die achtbaan door te slikken.

**RIES**

Die van het Yankee-stadion was oké.

**CLAUDIA**

Hangt ervan af wat je onder 'oké' verstaat.

**WYATT**

Die zag eruit alsof er een superheld-Kalvin over het stadion vloog. En dat de superheld vlak daarvoor door een straalmotor gezogen was, of zo.

**RIES**

We hadden echt net te weinig tijd voor die foto. Want pap belde en zei zo van: 'Het is bijna vier uur – ik zie jullie zo bij de Culvertschool!'

Ik zo van: 'Heb je James gevonden?'

En pap zuchtte heel diep. En hij zo van: 'Nee... is er iets mis met die jongen?'

En ik zo van: 'Natuurlijk. Had ik je dat nog niet verteld?'

En pap zo van: 'Nee, had je nog niet verteld.'

Dus ik zei dat het me speet dat ik hem dat niet had verteld over James voordat hij helemaal naar Brooklyn was gegaan.

En hij zo van: 'Brooklyn is nog maar de helft van het hele verhaal. Ik kom nu uit Queens.'

**JAMES EN PAP (e-mailuitwisseling)**

---

**⊗ ⊖ ⊕     RE: IK KOM JE HALEN**

✕ ← ⇐ → ✉

Van: **ik_bn_batman_3chtw44r@yahoo.com**
Aan: **eric.steven.tepper@gmail.com**
Datum: **25 oktober 2015 13:23:16**
Onderwerp: **RE: IK KOM JE HALEN**

---

Op 25 oktober 2014 13:14 schreef Eric Tepper < eric.
steven.tepper@gmail.com>:

James, dit is de vader van Ries. Sta je nog steeds op
de hoek van Flatbush Street en Atlantic Street? Zo
ja, blijf daar – ik kom je daar ophalen. Sms me in elk
geval ZSM op ~~9............~~ en laat me weten waar
je bent.

Oké schiet alstublieft op een paar mannen van een sekte

❌➖➕          RE: IK KOM JE HALEN

✕  ←  ⇐  →  ✉

willen dat ik met ze mee ga in hun busje
Van: ik_bn_batman_3chtw44r@yahoo.com
Aan: eric.steven.tepper@gmail.com
Datum: 25 oktober 2015 13:42:11
Onderwerp: RE: IK KOM JE HALEN

Op 25 oktober 2014 13:37 schreef Eric Tepper < eric.
steven.tepper@gmail.com>:

Ik sta op de kruising bij Flatbush en Atlantic. Ben je
daar nog? Bel/sms me alsjeblieft op ~~.........~~ ZSM

Ja sorry mannen van sekte boden me snoep aan dus ik
ben meegegaan. Rijden nu in hun busje naar Queens om
te gaan lasergamen.

kruising bij Flatbush Street en Atlantic Street (James is hier nooit geweest)

✕ ← ⇐ → ✉

Van: ik_bn_batman_3chtw44r@yahoo.com

Aan: eric.steven.tepper@gmail.com

Datum: 25 oktober 2015 13:52:54

Onderwerp: RE: ZORG ALSJEBLIEFT DAT JE OM 16:00 UUR OP CULVERTSCHOOL BENT

Op 25 oktober 2014 13:47 schreef Eric Tepper < eric. steven.tepper@gmail.com>:

Ik krijg een beetje het vermoeden dat je niet helemaal serieus bent. Zorg alsjeblieft dat je om 16:00 uur op de Culvertschool bent, want ik ben hoogstpersoonlijk verantwoordelijk voor jouw veiligheid.

Sorry. Dat van de sekte was een grapje, maar de mannen in het busje niet. Toen we bij de lasergameplek aankwamen, hebben ze al mijn geld afgepakt en zijn ze weggereden. Kun je me komen halen? Ik kan op geen enkele manier naar huis en heb nog maar 3% van telefoonbatterij over. 47th Avenue en Van Dam

---

❌➖➕      RE: RE: RE: ZORG ALSJEBLIE...

× ← ⇐ → ✉

Van: ik_bn_batman_3chtw44r@yahoo.com
Aan: eric.steven.tepper@gmail.com
Datum: 25 oktober 2015 14:37:54
Onderwerp: RE: RE: RE: ZORG ALSJEBLIEFT DAT JE OM 16:00 UUR OP CULVERTSCHOOL BENT

> Op 25 oktober 2014 14:36 schreef Eric Tepper < eric. steven.tepper@gmail.com>:
> Ik sta nu buiten bij de lasergameplek en begin erg kwaad te worden. Die mannen met het busje hebben nooit bestaan, of wel soms?

KOM ERAAN! Ben er met 5 min. 1% van batterij over NIET WEGGAAN!

Lasergameplek
(Hier is James
ook nooit geweest)

✕  ←  ⇐  →  ✉

Van: ik_bn_batman_3chtw44r@yahoo.com

Aan: eric.steven.tepper@gmail.com

Datum: 25 oktober 2015 14:53:02

Onderwerp: RE: RE: RE: RE: RE: ZORG ALSJEBLIEFT DAT
JE OM 16:00 UUR OP CULVERTSCHOOL BENT

> Op 25 oktober 2014 14:45 schreef Eric Tepper < eric.
> steven.tepper@gmail.com>:
> James, besef je wel hoe niet-cool dit is? Ik ben bang
> dat ik je ouders moet gaan bellen.

Oké maar dan krijg je waarschijnlijk hun voicemail.

# HOOFDSTUK 23

## PAP KRIJGT EEN ERNSTIGE PREEK

**CLAUDIA**

Toen we rond 15:50 uur in de eetzaal van de Culvertschool aankwamen, zaten Akash en juf Bevan aan een tafel op het podium, punten op te tellen van de teams die er al eerder waren dan wij.

Er waren al ongeveer dertig kinderen en er hing een grimmige sfeer. Toen de Fembots binnenkwamen – Athena en haar moeder liepen met opgeheven hoofd door het gangpad alsof ze Prinses Kwaadaardigheid en de IJskoningin waren, met in hun gevolg Ling/Meredith/Clarissa als de boze stiefzusters – werden ze zelfs door een paar mensen uitgejoeld.

**CARMEN**

Persoonlijk kan ik dat uitjoelen heel erg waarderen. Het was fijn om te weten dat, al hadden de Fembots dan gewonnen, ze door iedereen werden gehaat.

**CLAUDIA**

Dat vrolijkte mij ook op. Maar niet heel erg.

Toen liep Team Hutspot naar voren en we lieten

onze voorwerpen tellen. Akash en juf Bevan maakten nog geen officiële scores bekend, maar we wisten zelf al dat we 76 punten hadden: niet slecht, maar sowieso niet genoeg om de Fembots te verslaan, zelfs zonder hun stomme Deondra-foto voor 500 punten.

versch. dingen die Carmen/Parvati/mam verzameld hebben terwijl Jens en ik Deondra stalkten

Aan de andere kant, als je onze 76 punten vermenigvuldigde met ons sponsorgeld, kwamen we uit op $ 436,20. Dat zou allemaal naar de Manhattan Voedselbank gaan. Dat was te gek.

Dus ik probeerde daaraan te denken in plaats van aan het feit dat de Fembots gingen winnen, en dat het leven compleet oneerlijk was, en dat ik een speurtocht-monster had gecreëerd.

Toen kwam mijn vader binnen met drie vierde deel van Beestenploeg, en ze liepen naar voren om hun voorwerpen te laten tellen.

**RIES**

We waren, zeg maar, nogal bezorgd en ook hoopvol. Want met die photoshop-dingen maakten we niet echt veel kans.

Maar we hadden wel nog altijd een cronut voor 30 punten! Soort van. niet echt

**WYATT**

Het punt was: het was al bijna vier uur. Dus we wisten dat James binnen iets van vijf minuten moest aankomen, anders zouden we worden gediskwalificeerd.

Je vader leek daar nogal gestrest over. Niet over het gediskwalificeerd worden, maar eerder over dat hij een heel persoon kwijt was geraakt.

**AKASH**

Ik moet dit even kwijt: dank u, Shiva, voor het bestaan van Ries en zijn idiote vrienden. Want ik had net zes uur non-stop met alleen juf Bevan doorgebracht, die bij het hele gebeuren totaal de stresskip aan het uithangen was. Dus ik was wanhopig toe aan een potje lachen.

En o man, ze hebben me zo'n lach-kick bezorgd.

**CLAUDIA**

Het eerste wat Ries deed was het kleffe, gele doosje van de cronut-bakkerij aan Akash overhandigen.
En direct toen Akash het doosje opende, begon hij te lachen.

**AKASH**

Hebben ze zo'n doosje van Dominique Ansel – dat ze in een riool hebben moeten laten vallen of zoiets, want het zat onder de rare vlekken. En serieus, het rook NIET lekker.

En ik kijk wat erin zit, ligt daar zo'n donut met aardbeienglazuur – waarvan ik bijna 100% zeker weet dat hij van Dunkin' Donuts komt – waarvan ze de randjes hebben weg geknabbeld, of zoiets, zodat hij heel vaagjes de vorm heeft van een cronut.

Maar echt, het leek alleen maar op een vreselijk walgelijke, half opgegeten donut. Met spikkels.

En ik zei: 'Wat is dit nou weer?'

**RIES**

Ik zo van: 'Het is... eeeeen... cronut?' Wat best moeilijk was. Want ik kan echt NIET liegen.

*Waar. Ries kan TOTAAL NIET liegen.*

**AKASH**

Het was totaal gestoord. Ik bedoel, HALLO? Ik ben een cronutkenner! Ik herken cronuts direct.

Zelfs juf Bevan, die een complete leek was wat cronuts betreft, had zoiets van: 'Ik geloof NIET dat dit een cronut is.'

**RIES**

Dus ik zo van: 'Het punt is... we HADDEN een cronut. Maar ik heb hem opgegeten.'

**AKASH**

Op dat moment lag ik zo erg in een deuk dat ik niets meer kon uitbrengen. Maar juf Bevan zei: 'Waarom heb je de cronut opgegeten?'

**RIES**

En ik zo van: 'Omdat James en ik opgesloten zaten in een vrachtwagen.'

En zij zo van: 'HOE kwamen jullie nou weer opgesloten in een vrachtwagen?'

En ik zo van: 'We werden achterna gezeten door voetbalhooligans. Want we waren in zo'n kroeg en...'

**WYATT**

Toen Ries kroeg zei, floepten juf Bevans ogen zo'n beetje uit haar hoofd.

En ze draaide zich naar je vader toe. Die, serieus, NIET bezorgder had kunnen kijken dan toen.

**XANDER**

Xanders naam voor onderdirecteur
Bevan (denk ik)

Ik zag dat O-Bevs peinzde om daar HEIHARD op in te gaan.

Dus ik had iets van: 'Yo, andere onderwerpz, NU!'
En ik roste die pica's neer.

**AKASH**

Dus die idioot van een Xander duwt zijn telefoon in mijn gezicht en zegt: 'YO, SPIEK DEZE PICA'S!'

En ik keek er even naar en... o man... Ik neem aan dat het hun Kalvin was, maar hij zag eruit alsof hij door een beer was opgegeten en weer uitgepoept – en ze hadden hem gephotoshopt zodat het leek alsof hij over het Yankee-stadion vloog...

En ik hield het niet meer.

**CLAUDIA**

Akash had in feite een onophoudelijke lachbui, daar

op het podium. Hij zat voorover geklapt in zijn stoel, met een rood aangelopen gezicht.

Maar juf Bevan kon er de humor niet van inzien.

## RIES

Juf Bevan zo van: 'Meneer Tepper, kan ik u even onder vier ogen spreken?'

En ze trok pap mee naar de rand van het podium en begon hem zo'n beetje uit te kafferen.

Ik kon niet alles wat ze zeiden verstaan. Maar op een gegeven moment ging het niet meer over de kroeg, maar over het feit dat pap James was kwijtgeraakt. Ik hoorde haar tekeergaan, zo van: 'Had hij een mobiele telefoon bij zich?' en: 'WAAR heb je hem voor het laatst gezien?'

## CLAUDIA

Het had best gekund dat juf Bevan nu NOG STEEDS op dat podium tegen mijn vader had staan schreeuwen, als James Mantolini niet net op dat moment de eetzaal was binnengestormd. Hij was helemaal bezweet en buiten adem, en hij riep: 'DRIE UUR NEGENENVIJFTIG!'

(d.w.z., 1 minuut voor de deadline van 16:00 uur)

Toen stortte hij in elkaar. Maar hij stortte niet heel serieus in elkaar. Meer iets van een nep, dramaqueen-achtig, heb-net-de-marathon-gelopen-ineenstorting.

Dus juf Bevan riep James naar het podium toe,
en nadat ze hem had ondervraagd – en hij haar en
Akash iets op zijn telefoon liet zien – zei ze tegen
Beestenploeg dat ze moesten gaan zitten.

## RIES

We gingen zitten en we hadden allemaal iets van:
'James, waar was je nou?' en: 'Wat heb je op je telefoon?'

En James zo van: 'Geen commentaar.'

## JAMES

Ik deel dingen liever alleen met mensen die het
echt moeten weten. En zij hoefden het niet te weten.

## CLAUDIA

*of lichaamsdelen miste*

Doordat James niet dood was, liet juf Bevan pap
uiteindelijk met rust.

Maar mam niet. Zij kafferde hem de rest van het
weekend uit, omdat a) hij de slechtste begeleider ter
wereld was, en b) hij erover tegen mam had gelogen.

Eigenlijk is ze er nog steeds niet helemaal
overheen:

## MAM EN PAP (sms'jes)

*2 WEKEN NA
SPEURTOCHT:*

*PAP →*

Neem Ries' voetbalteam mee om pizza
te eten na de wedstrijd

PROBEER NIEMAND KWIJT
TE RAKEN   MAM

3 WEKEN NA SPEURTOCHT:

Bij de visboer. Zalm ziet er beter uit
dan tonijn. Zal ik dat meenemen voor
avondeten?

Hoe weet ik nu dat je niet tegen me
staat te liegen over die zalm?

Visboer staat achter mijn beslissing

HOEVEEL LEUGENS HEB
JE DIE VISBOER VERTELD,
ERIC?

6 WEKEN NA SPEURTOCHT:

Werk over vanavond

Bewijs het

Serieus?

Ja. Sms me een foto van jou op
kantoor waar je de krant van vandaag
vasthoudt

Heb ook beëdigde verklaring
nodig van je collega's

Gaat dit geintje je nou nooit vervelen?

Vertrouwen krijg je niet zomaar, Eric.
Dat moet je verdienen

# HOOFDSTUK 24

# FOTOFINALE

### CLAUDIA

Toen Beestenploeg van het podium af kwam, was het al 16:00 uur geweest, dus Akash en juf Bevan sloten de deuren van de eetzaal en namen de presentie op.

Zes teams werden gediskwalificeerd omdat ze deelnemers misten. Ik denk dat de afwezige kinderen het gewoonweg niet aankonden om de Fembots die kaartjes op de eerste rij bij MSG te zien winnen door zo kwaadaardig mogelijk te zijn.

### PARVATI

Mag ik even zeggen dat ik het die kinderen niet kwalijk neem dat ze dit oversloegen? Ik bedoel, iedereen wist HARTSTIKKE zeker dat de Fembots zouden gaan winnen.

En al die tijd dat de punten werden geteld, kon Athena het NIET laten om het er lekker in te wrijven.

### CARMEN

Athena ging gewoon te ver met irritant zijn. Ze bleef maar van die luide, arrogante opmerkingen maken tegen de andere Fembots, zoals: 'Ik weet niet of we die kaartjes op de eerste rij wel voor een concert van Deondra moeten gebruiken. Ik bedoel, ik HEB HAAR NET GEZIEN, op, iets van, een halve meter afstand. Jammer dat niemand anders haar heeft kunnen zien...'

## CLAUDIA

Uiteindelijk stond juf Bevan op om de winnaars bekend te maken.

Eerst bedankte ze iedereen voor het meedoen, en herinnerde ze ons eraan dat de hele speurtocht voor het goede doel was, en dat het feit dat we zoveel geld hadden opgehaald voor de Manhattan Voedselbank het allerbelangrijkste was.

Met volle trots kan ik zeggen dat er toen een groot applaus klonk.

Toen zei ze: 'Voordat ik de top drie van winnaars bekend ga maken, onthoud dat –hoeveel punten je ook hebt gescoord – IEDEREEN een winnaar is.'

En Athena Cohen zo van: 'Maar wij al helemaal!' net hard genoeg zodat juf Bevan haar hoorde.

Normaal gesproken is dit het soort gedrag waardoor juf Bevan even stopt voor een 'leerzaam moment' over hoe je geen vreselijk persoon hoeft te zijn. ↗

'leerzaam moment' =
preek van 5 minuten
(minstens)

Dus het kwam nogal als een verrassing toen ze eventjes stil was en op haar lip beet alsof ze haar lachen probeerde in te houden.

En het kwam als een COMPLETE, ENORME, GIGANTISCHE VERRASSING toen ze zei: 'Op de derde plaats: Het Godinnen Genootschap!'

Ongeveer twee seconden lang was iedereen in de eetzaal stil van verbazing.

Toen barstte er gelach uit.

Daarna gejuich.

## CARMEN

Alles wat ik kwijt wil, is dat toen de Fembots maar op de derde plek kwamen, het geweldigste moment in de hele geschiedenis was. Waar dan ook. Ooit. Het was ZO verrukkelijk.

## PARVATI

Ik viel serieus bijna flauw.

Eigenlijk denk ik dat ik ECHT flauwviel. Een seconde lang, of zo.

## RIES

Het was best tof. Ik bedoel, normaal gesproken heb ik geen problemen met Athena en Ling en die meiden. Maar de manier waarop ze zaten te roddelen achter ieders rug om was niet echt cool. Dus ze verdienden het helemaal.

CLAUDIA

Eerst zagen de Fembots eruit alsof ze in shock verkeerden. Toen werden ze boos.

Toen stak juf Bevan een van de etuis in de lucht en riep: 'Kom maar naar voren, meiden!'

etuis van de Culvertschool (rits gaat meestal na 5 x gebruiken kapot) (en plastic erg goedkoop en kan huiduitslag veroorzaken)

Hierna volgde een gemompelde woordenwisseling tussen Athena en haar moeder, omdat Athena overduidelijk NIET het podium op wilde.

Maar uiteindelijk leidde juf Bevan ze allemaal het podium op.

Het geld ophalen voor de Manhattan Voedselbank was absoluut het beste gedeelte van de speurtocht.

Maar het op een na beste gedeelte was SOWIESO de uitdrukking op Athena Cohens gezicht toen juf Bevan haar een etui van tien cent overhandigde in ruil voor de biljoenen dollars die ze zojuist had besteed aan het afkopen van haar overwinning. niet echt zoveel geld (waarsch. iets van minstens $100/hoogstens $1000)

Toen de Fembots zich weer verstopten op hun stoelen, gaf Parvati me een por en zei: 'Wie denk je dat die andere twee foto's met Deondra hebben gemaakt?'

Ik dacht dat het iemand moest zijn die ook heel rijke of machtige ouders had, want dat waren de enige mensen die toegang tot Deondra konden hebben.

Dus het was best wel een grote verrassing toen juf Bevan zei: 'Op de tweede plek... De Avada Kedavra's!'

In alle eerlijkheid: ik was heel blij voor Kalisha en haar team. Ook al kregen ze alleen maar een cadeaukaart van Starbucks.

**PARVATI**

Je gedroeg je niet alsof je blij voor ze was.

**CLAUDIA**

Misschien doordat jij me maar tussen mijn ribben bleef porren terwijl je mompelde: 'Zie je wel? ZIE JE WEL?'

**PARVATI**

Ik bedoelde alleen maar: als wij Kalisha in ons team hadden gehad, hadden wij dat kunnen zijn.

**CARMEN**

Sowieso. Zij was het meesterbrein in dat team.

**CLAUDIA**

Het zal wel! Het is nou ook weer niet zo dat Kalisha alles in haar eentje heeft gewonnen.

**PARVATI**

Ze HAD in haar eentje MOETEN winnen.

**CARMEN**

Je meent het! Ik ben nog steeds geshockeerd over wie er gewonnen heeft.

**CLAUDIA**

Zijn we allemaal.

Ik weet serieus niet hoe ik dit moet uitleggen. Dus ik gebruik maar gewoon exact de woorden van juf Bevan: 'De winnaars van de Eerste Jaarlijkse Speurtocht voor het Goede Doel van de Culvertschool: BEESTENPLOEG!'

# HOOFDSTUK 25

# SCHRIK EN
# VERBIJSTERING
# (EN RECHTSZAKEN)

**RIES**

WAAAAH! WAAAAAAAAAAAAH!
WAAAAAAAAAAAAAAAAAAAAH!

**WYATT**

Geloof je in wonderen? GELOOF JE IN WONDEREN?

**XANDER**

OOOOO JA!
GEHEIM PLAN, SCHATJE!!

**CLAUDIA**

Oké, DAT is belachelijk. De overwinning van
Beestenploeg had absoluut NIETS te maken met
Xanders ongelooflijk slechte gephotoshop.

En trouwens, ik vind nog steeds dat ze gediskwalificeerd hadden moeten worden omdat ze
probeerden vals te spelen.

**AKASH**

Dat is een schappelijk argument. Maar ik vind niet

dat je iemand kunt diskwalificeren die probeert vals
te spelen op zo'n compleet onbekwame manier dat je
er een dode niet eens mee voor de gek kunt houden.

En ere wie ere toekomt: James Mantolini heeft het 'm
geflikt.

**JAMES**

Ik denk dat mijn werk voor zich spreekt.

**CLAUDIA**

Laat ik nog eventjes teruggaan en proberen uit
te leggen wat er aan het einde gebeurde, want het is
nogal verwarrend. en ook TOTAAL GESTOORD

Juf Bevan had nauwelijks de kaartjes voor de
eerste rij bij Madison Square Garden aan Ries en zijn
idiote vrienden overhandigd, toen Athena's moeder
het podium op stormde en een hertelling eiste.

Ik was nogal geshockeerd – eigenlijk was iedereen
in de zaal nogal geshockeerd – maar toen ik mevrouw
Cohen in actie zag komen, wist ik dat er een gevecht
zou uitbreken.

En ik besloot dat ik, als bedenker en medeorganisa-
tor van de speurtocht, daarbij aanwezig moest zijn.
Dus ik rende zelf het podium op.

Uiteindelijk deed de halve school dat. Het was één
grote chaos.

**RIES**

Ik had eerst helemaal niet door dat het Athena's moeder was. Het enige wat ik wist, was dat er opeens een mevrouw op het podium stond te schreeuwen: 'ZIJN DEZE RESULTATEN GEVERIFIEERD?'

En ik zo van: 'Ik weet NIET wat dat woord betekent. Maar ik steek dat kaartje voor de eerste rij in mijn broek, zodat niemand het van me kan afpakken.'
*ieuw*

**WYATT**

Mevrouw Cohen zo van: 'HOE HEBBEN DIE JONGENS IN HEMELSNAAM KUNNEN WINNEN?'

En ik zo van: 'Ja... hoe HEBBEN we eigenlijk gewonnen?'

Want toen ik er eenmaal over ging nadenken, leek het helemaal niet logisch.

**AKASH**

Ik ben een deskundige, oké? De cijfers kloppen. Het Godinnen Genootschap had 216 punten. De Avada Kedavra's zaten op 218. En Beestenploeg had 511 en een half.

**CLAUDIA**

Dus Beestenploeg had een foto van Deondra voor 500 punten en... in principe verder niets?

**AKASH**

Komt het op neer. Ze hadden een foto van Deondra, een bonnetje van een taxirit, en halve punten voor foto's van het Charching Bull-standbeeld op Wall Street en het Vrijheidsbeeld. Want op die foto's was maar een halve Kalvin te zien.

**CLAUDIA**

En Het Godinnen Genootschap had dus toch geen Deondra-foto?

**AKASH**

Nou, ze hadden wel een foto. Maar die werd gediskwalificeerd. Want op de lijst stond specifiek: foto van Kalvin de Kat die GEKUST wordt door Deondra.

En op de foto die zij hadden, werd Kalvin de Kat GEKNUFFELD door Deondra.

FOTO VAN DEONDRA DIE KALVIN KNUFFELT (had hier moeten staan, maar mocht hem niet van Athena gebruiken, tenzij ik haar $ 500 betaalde

ATHENA COHEN, Fembot/teamgenoot van Het
Godinnen Genootschap  (moest haar $ 20 betalen
voor dit interview)

Oké, ik... weet je, ik... Sorry hoor, maar ik weet nog
STEEDS niet wat ik moet zeggen. Want het was ZO
ONGELOOFLIJK BELACHELIJK.

Echt, heb je ooit iemand ONTMOET die zo beroemd
is als Deondra?

Ik weet zeker dat je dat nooit hebt meegemaakt.
Maar ik heb VEEL van zulke mensen ontmoet. Oké?
En het ding met beroemde mensen is dit: je kunt ze
niet vertellen wat ze moeten doen.

Oké?

Dus als je zo zegt van: 'Sorry dat ik je stoor,
mevrouw Deondra, maar ik ben een enorme fan,
en zou je alsjeblieft even kunnen stoppen met je
gesmoordegroenteschotel eten en deze knuffel voor
me willen kussen terwijl ik er een foto van neem?'

En zij zo van: 'Oké, 't zal wel.' Wat trouwens al een
HELE prestatie is, dat je zover kunt komen. Zo van,
niemand anders van die stomme speurtocht is ook
maar in dezelfde RUIMTE als Deondra geweest. Oké?

Maar goed, weet je, als Deondra dan je Kalvin
aanpakt, en ze gaat hem KNUFFELEN – en je wilt iets
zeggen van: 'Kun je hem eigenlijk kussen in plaats
van knuffelen?' Alleen haar beveiliger of wat hij ook
is, zegt: 'NEEM GEWOON DIE FOTO, MEISJE!'

En dan geeft Deondra de Kalvin aan je terug en zo,

en zegt zo van: 'Nog een fijne dag!' en pakt haar vork weer op, zo van: 'KLAAR...'

Sorry hoor, maar als dat gebeurt kun je niet zomaar zeggen van: 'Ja eh... Deondra? Kun je het alsjeblieft nog een keer opnieuw doen, maar dan met een kus?'

ZO WERKT DAT NIET MET BEROEMDE MENSEN. Niet dat jij dat zou kunnen weten.

**CLAUDIA**

Wauw, Athena. Het spijt me ZO erg dat het mislukte.

↑
**ATHENA**   (sarcasme)

Tuurlijk, Claudia. Je hebt geen idee. Ga je kleine roze stepje lekker een ravijn in rijden.

**CLAUDIA**

Dus toen Akash aan mevrouw Cohen had verteld waarom de foto met Deondra was gediskwalificeerd begon ze te schreeuwen: 'Dat is belachelijk! Wat is nou het verschil tussen knuffelen en kussen?'

**AKASH**

En juf Bevan – die haar officiële spreek-rustig-tegen-de-boze-ouder-stem gebruikte – zei: 'Ik weet wel zeker dat er een elementair verschil in zit.'

En mevrouw Cohen zo van: 'Een ELEMENTAIR verschil?'

Toen James Mantolini – die trouwens klinisch gestoord is door het tegen mevrouw Cohen op te nemen, want die vrouw is FEL – zo van: 'Er zit wel DEGELIJK een verschil tussen knuffelen en kussen. Laat ik u een voorbeeld geven...'

**JAMES**

Het enige wat ik deed was wijzen op het feit dat Xander mij net had geknuffeld terwijl de hele school toekeek. En ik vond dat helemaal prima...

**XANDER**

Dat was een bro-knuf. J-MO IS M'N GAST!

**JAMES**

Maar als hij me had GEKUST met de hele school erbij... dat had ik ongemakkelijk gevonden. Al helemaal als het op de lippen was geweest.

**XANDER**

Zo waar!

**AKASH**

Mevrouw Cohen zo van: 'Bespaar me je preek, kleintje!'

Toen richtte ze zich tot James en zei: 'Op JOUW foto van Deondra wordt zeker wel gekust?'

**JAMES**

Ik zei: 'Eigenlijk wel, ja.'

En zij zei: 'Nou, dat zou ik dan wel eens heel graag willen zien.'

Alleen haar stem klonk alsof ze eigenlijk zei: 'Ik zou jou heel graag open willen snijden en al je ingewanden eruit willen rukken.' *ingewanden = darmen*

En ik zo van: 'Geen probleem, hoor.' Dus ik liet haar mijn Deondra-foto zien.

*JAMES' FOTO VAN DEONDRA VOOR 500 PUNTEN*

*(James' Kalvin uit groep 1 die hij thuis had opgehaald)*

*(vrouw die Deondra heet)*

**AKASH**

En DAT veroorzaakte nogal wat heisa.

**CLAUDIA**

Athena's moeder sloeg een blik op de foto en

schreeuwde: 'DAT IS DEONDRA NIET!' zo luid dat het echt pijn aan mijn oren deed.

En ze had een punt. Want het was sowieso GEEN foto van wereldpopster Deondra Williams.

**JAMES**

Dat staat vast. En ik had er al wat onenigheid over verwacht. Daarom had ik ook de tweede foto genomen.

Dat is Deondra Anthony. Ze is een collega van mijn vader. En ze is best cool. Ze heeft nog heel wat van me tegoed. Of van mijn vader, in ieder geval. Daarom liet ze me de derde foto maken.

JE STAAT BIJ ME IN HET KRIJT, GARY!

(Gary =
James' vader =
Gary Mantolini)

## CLAUDIA

Toen ze het naambordje van Deondra Anthony zag,
werd mevrouw Cohen NIET minder boos.

Eigenlijk werd ze alleen maar bozer.

Ze begon te schreeuwen: 'DAT TELT NIET! Het
moet DE Deondra zijn! Je kunt niet 500 punten
krijgen voor zomaar een Deondra die je van de straat
plukt!'

## AKASH

Juf Bevan – van wie ik vrijwel zeker weet dat ze er
lol in had – wachtte tot Athena's moeder naar adem
hapte.

En toen zei ze zo van: 'Als ik even mag

interrumperen... op de voorwerpenlijst staat eigenlijk niet specifiek dat het De Deondra moet zijn. Er staat simpelweg "Deondra". Dus technisch gezien kan het ELKE Deondra zijn.'

**CLAUDIA**

Dat bracht mevrouw Cohen zo'n beetje in een staat van sputterende woede. Ze begon dingen uit te schreeuwen als: 'O, DAT IS ABSURD!' en 'DIT KUNT U NIET SERIEUS MENEN!'

En mijn persoonlijke favoriet: 'DAT "DE" WORDT GESUGGEREERD!'

Toen zei James wat iedereen dacht, maar niemand rechtstreeks tegen mevrouw Cohen durfde te zeggen.

**JAMES**

Ik zei: 'Hé dame, ik ben dan wel geen aan Harvard afgestudeerde advocaat zoals u? Maar ik kan wel Engels lezen. En in dit geval bent u gewoon aan het verliezen.'

**AKASH**

Dat was iets prachtigs en angstaanjagends tegelijk. James Mantolini FOR THE WIN.

Daarna was alles, behalve het geschreeuw, voorbij. En het gedreig met rechtszaken. Die Athena's moeder duidelijk niet heeft doorgezet, want anders was ik inmiddels wel gedagvaard geweest.

**dagvaarding** | [ˈdáxfardiŋ] | zelfst. nw.
een rechtsorde waarbij iemand wordt ontboden
te verschijnen voor de rechtbank
(al dan niet Fembot-gerelateerd)

## CLAUDIA

Ik denk dat het wel scheelde dat de Fembots niet
eens tweede waren geworden – dus als mevrouw
Cohen het voor elkaar had gekregen dat James' foto
werd gediskwalificeerd, zou Kalisha's team alsnog
hebben gewonnen.

## RIES

Ik volgde dat hele gevecht eigenlijk niet eens. Het
was nogal verwarrend. Ik wist alleen dat, toen de rust
weer terugkeerde, ik nog steeds een kaartje voor de
eerste rij bij MSG in mijn broek had zitten.

WAT HELEMAAL TE GEK WAS!!!!

## CLAUDIA

Als je het mij vraagt, zijn Kalisha en de Avada
Kedavra's hier de echte pineuten – zij hadden een
team verslagen dat vier auto's met chauffeur en
een onuitputtelijke geldbron had. Dat is best wel
bovenmenselijk.

**KALISHA**

Het komt allemaal door de cronut. Ik denk dat Het Godinnen Genootschap dacht dat ze maar met genoeg geld hoefden te zwaaien om er eentje bij de bakkerij te kunnen kopen. Maar het probleem met cronuts is dat ze maar één keer per dag worden gebakken. En als ze op zijn, zijn ze op. Daarna kun je met alle geld van de wereld geen cronut meer kopen.

**CLAUDIA**

Hoe zijn jullie er eigenlijk aan gekomen?

**KALISHA**

We hadden die van ons al een week van tevoren besteld.

**CLAUDIA**

SERIEUS?! Hoe wist je dat hij op de voorwerpenlijst zou staan?

**KALISHA**

Simpele psychologie. We wisten dat Akash de lijst maakte, dus we probeerden in zijn hoofd te kijken en te voorspellen wat hij erop zou zetten.

En dat is eigenlijk niet zo moeilijk met Akash, want hij heeft overal een mening over en is heel luidruchtig.

**AKASH**

Dat is waar. Mijn obsessie met cronuts is algemeen bekend.

**KALISHA**

De cronut was niet het enige. We hebben een paar dingen gereserveerd die we uiteindelijk niet hebben gebruikt. Kaartjes voor het Vrijheidsbeeld, brunchen bij The American Girl Store, die unieke tentoonstelling bij MoMA...

**CLAUDIA**

Maar hoe hebben jullie een team verslagen dat in VIER auto's reed?

**KALISHA**

Kwestie van logistiek. We deelden de lijst geografisch in naar metrolijnen. Dat is het fijne van New York – je HOEFT geen auto te rijden. De metro is te gek.

**CLAUDIA**

Wauw. Ik ben diep onder de indruk.

Al moet ik wel zeggen: het verbaast me een beetje dat je niet hebt gedacht aan dat hele neem-een-foto-van-een-niet-beroemde-Deondra. Ik bedoel, je bent toch best wel slim en zo...

**KALISHA**

O, daar heb ik sowieso wel aan GEDACHT. Ik kende alleen niemand die Deondra heet. Jij wel?

**CLAUDIA**

Eigenlijk... ja. Er woont een Deondra bij mij in het appartementencomplex.

Ik heb er alleen, eh... niet aan gedacht.

**KALISHA**

O. Wauw. Wat jammer dat ik niet bij jou in het team zat. Wat wij tweeën zouden kunnen bereiken, weet je...

**CLAUDIA**

Ja...

**KALISHA**

Even goede vrienden, hoor. Ik heb heerlijk genoten van de mokka latte die ik met onze Starbucks-cadeaukaart heb gehaald.

En feliciteer je broer nog een keertje van me, met zijn overwinning.

**CLAUDIA**

Ja...

**RIES**

WAAAAAAAAAAAAAAAAAAAAAAH!

**CLAUDIA**

Kappen nu, Ries. Maar echt.

# NAWOORD

# EEN HELEBOEL WAARDEVOLLE LESSEN

## CLAUDIA

Naast het feit dat onze geldinzamelingsactie enorm succesvol was voor een zeer goed doel, was de speurtocht ook een belangrijke leerervaring. En niet alleen voor mij.

Ik denk bijvoorbeeld dat we allemaal hebben geleerd dat je de media niet kunt vertrouwen wat betreft de boel overdrijven. Dus als er iets raars gebeurt en je hebt er ook maar een klein beetje mee te maken, PRAAT NIET MET VERSLAGGEVERS.

## DIMITRI SHARANSKY, teamgenoot van De Hoofse Ridders

Mijn naam staat in de krant!

## TOBY ZIMMERMAN

De mijne ook! Dat was BEEST.

## CLAUDIA

Eh... jongens? Realiseren jullie je wel dat dat artikel

in één klap de hele speurtocht heeft verpest? Dus
dat jullie gepraat tegen die verslaggever in feite
de Manhattan Voedselbank miljoenen dollars aan
toekomstige donaties heeft gekost?

**DIMITRI**

O jemig... daar had ik niet over nagedacht.

**CLAUDIA**

Daarnaast leest niemand onder de vijfenzestig
tegenwoordig nog een krant.

**TOBY**

Hard! Voelt als een klap in mijn gezicht, Claudia.

**CLAUDIA**

Ik wil er alleen maar zeker van zijn dat we allemaal
leren van onze fouten, Toby.

Op persoonlijk niveau heb ik geleerd dat als je
een team samenstelt, het heel belangrijk is dat je de
ALLERBESTE persoon voor de taak kiest.

En de beste persoon KAN degene zijn met wie je
weleens afspraakjes hebt.

Maar dat hoeft niet per se.

**JENS**

Ik heb geleerd dat kinderen uit New York een leuk

spelletje soms wel heel, heel erg serieus kunnen nemen. En soms nemen ze het zelfs te serieus.

En ook, dat als je een speurtocht gaat doen, het beter is om geen nette schoenen aan te trekken.

**CARMEN**

Ik heb geleerd dat als je vriendin je probeert op te zadelen met een vreselijk idee, je voet bij stuk moet houden en absoluut moet weigeren om haar vriendje in je speurtochtteam op te nemen.

*NIET mijn vriendje!*
*(VOOR DE MILJOENSTE KEER)*

**PARVATI**

OMG, dat is PRECIES dezelfde les die ik ook heb geleerd!

En ik heb geleerd dat Kalisha Hendricks SOWIESO de slimste persoon in onze klas is.

**CARMEN**

Wat een toeval! Dat heb ik ook geleerd!

**CLAUDIA**

Oké, het zal wel. Verder.

**JAMES**

Ik heb geleerd dat je altijd de kleine lettertjes moet lezen.

En ook dat je nooit in een openstaande laadruimte van een vrachtwagen moet springen.

**CLAUDIA**

Over kleine lettertjes gesproken: ik heb ook geleerd – al denk ik dat het voor bepaalde ANDERE mensen belangrijker is om deze les te leren – dat wat humor op z'n tijd best goed is. Maar je kunt het niet altijd in elke situatie gebruiken.

Om een voorbeeld te geven, 'midden in een lijst met speurtochtvoorwerpen' is GEEN goede plek voor humor.

**AKASH**

Ik heb geleerd dat mensen die een grapje niet kunnen waarderen, idioten zijn.

Wat nou?

Kijk niet zo naar me, Claudia. Ik heb nergens spijt van.

**PAP**

Ik heb geleerd dat het belangrijk is om altijd helemaal eerlijk te zijn. Al helemaal wanneer je sms'jes stuurt naar je vrouw.

**RIES**

*pap is ook 'op zoek naar zichzelf i.v.m. werk-privébalans' (m.a.w. wil ontslag nemen)*

Zal ik eens vertellen wat ik heb geleerd: maakt niet uit hoe diep je in de put zit, je moet nooit, maar dan ook nooit stoppen.

Want je kunt het allemaal waarmaken! JIJ KUNT HET WONDER ZIJN!

Je hoeft alleen maar in jezelf te geloven.

**CLAUDIA**

Je weet toch wel dat jij totaal niets te maken had met het winnen van die kaartjes, Ries?

**RIES**

Auw! Het lijkt erop dat ik ook heb geleerd dat sommige mensen niet tegen hun verlies kunnen.

**CLAUDIA**

Ries, als je die Deondra-foto niet meetelt, hebben jullie 11,5 punt behaald. Uit een lijst van 250.

Je had een voorwerp van 30 punten in je handen... EN JE AT HET OP.

**RIES**

Haters zullen haten, Clau.

Maar weet je? Compleet serieus bedoeld? Geen geintje?

Het was geweldig dat je die speurtocht hebt bedacht. Je hebt er kei- en keihard aan gewerkt.

En ja, het liep een beetje uit de hand. Maar je hebt wel een heleboel geld opgehaald voor een heel belangrijk doel. En ik WEET dat dat geld veel mensen een beter leven heeft gebracht.

Je zou heel erg trots op jezelf moeten zijn. Ik ben sowieso trots op je.

**CLAUDIA**

Wauw... Dank je, Ries.

**RIES**

Heel graag gedaan.

En weet je wat? Ook al heb je de hele tijd alleen maar slechte dingen over mijn team gezegd, en verteld hoe zielig wij waren en dat we nooit zouden winnen... voor al dat harde werk heb jij mijn kaartje voor de eerste rij verdiend. Je mag het van me hebben.

**CLAUDIA**

Serieus?

**RIES**

Nee.

Omijngod, de uitdrukking op je gezicht toen je dacht dat ik het aan jou zou geven? Hilarisch!

**CLAUDIA**

Ik ga nu de voicerecorder-app uitzetten.

Dan ga ik tot vijf tellen.

En dan ga ik je vermoorden.

**RIES**

Doei!

(rende weg)
(sloot zichzelf op in zijn kamer)
(smeekte mam om hem te komen redden)
(zal hier ooit nog voor gaan boeten)

## BIJZONDERE DANK

Trevor Williams, Yvette Durant, Alec Lipkind,
Fernando Estevez, Rahm Rodkey, Dafna Sarnoff, Tal
Rodkey, Ronin Rodkey, Jesse Barrett, Anna Rose
Meisenzahl, Kai Nieuwenhof, Mustafa the Tailor, Liz
Casal, Lisa Clark, Chris Goodhue, Russ Busse, Andrea
Spooner, Josh Getzler, en De Geweldigste Stad Op
Aarde.

---